婦人之友社
育児ライブラリー
3

子どもの生活　遊びのせかい

この本を読んでくださる方へ

子どもとともに生活することがどんなに楽しいことか、ひとりでも多くの方にそれを実感していただきたいとの願いを一冊にまとめました。

この本は、乳幼児グループ（巻末参照）の4歳までの子どもの成長記録が中心になっています。お母さんたちのこまやかな観察は、子どもの発達の姿を的確に映し出していて、たいへん興味深いものです。

たくさんの子どもの記録を読むことは、自分の子どもの経験だけではわかりにくい発達の道すじをたどることにも、また子どもは一人ひとりちがう個性だと理解することにもつながります。そして何より、ありのままの成長発達の姿から、いきいきとした子どもの心が見えるでしょう。子どもの心がわかると育児はいっそう楽しくなるのです。

子どもたちがやってくれる〝みごとなだだこね〟や〝けんかや物のとり合い〟——思うようにならない中で、思いを越えたよいものを与えられるのが育児期です。

「子どもが遊んでと言ったときには、仕事を後回しにしても一緒に遊ぶ価値がある。それは、子どもを育てている人のもつ特権である」とは津守真氏のことばです。子どもにとって遊びは生活そのもの。そこで子どもはあらゆることを学び、成長していきます。

子ども自身の発達と外からの働きかけが歯車のようにかみ合って、遊びがゆたかに展開するように、そして何でも自分でしてみたい子どもの気持ちを支えるために、さまざまな工夫や知恵を98人のお母さんのアンケートからいただきました。

「こんな〝コトバ〟をひろってみたら」のページは、お母さんの記録に何げなく書かれたことばで集めた〝子どもを見る目〟です。どんなときにつかわれているかをお読みください。さて、わが家の場合は…と楽しんでいただけるでしょう。

監修は、婦人之友誌上の育児・教育面、及び乳幼児グループのご指導をいただいている津守真・房江氏ご夫妻。遊びの各章の扉のことばは津守真氏。また尾関夢子氏に「生活」部分のご指導をいただきました。

記事中の実例＝成長記録は、婦人之友社乳幼児グループ（現在会員数１２００人）のもの。それには「名前〇〇〇〇　〇歳〇か月」と子どもの名前と年齢を示しました。「名前〇〇〇〇（息子〇歳　娘〇歳）」とある場合は、アンケートのお母さんの意見や工夫です。

目次

遊びの中で成長する

津守 真

幼児期は人間の生涯で独自な時期である。無心に遊ぶ子どもの心には、広く深い宇宙が宿っている。

子どもがあなたと一緒にいたい、一緒に遊びたいと思っている「いま」を大切にしよう。子どもが近寄ってきたときは、あなたに何かを求めているときである。親しみか、慰めか…。子どもが物を差し出したとき、そのときを逃がさずに心をこめて受けとろう。子どもはきっとあなたの心づかいに応えてくれる。

自分から始める行為には、子ども自身が展開する未来がある。子どもが始める遊びを大切にし、一緒に楽しみ、自分で納得して終わるのを見守りたい。幼いときから、自分で志したことをやりとげた体験を積むならば、子どもは明日への希望をもつものとなるだろう。

子どもは遊びの中で自分の心をかくさない。今、目の前でしている小さな行為に、注意深く、愛をもって目をとめよう。

子どもと一緒にすごすときは、おとなが学ぶときである。おとなも一緒に成長することによって、子どもは成長する。子どもと遊ぶときに発見することには限りがない。

今日の一日を満ち足りてすごすことが明日をつくる力になる。特別なことをしなくとも、日常の中に満足と喜びをつくり出すことが、育てるものの仕事である。

夜、子どもが眠ったあと、散らかった玩具や机の下の小さな紙片を拾い上げるとき、遊んでいたときの子どもの心のあとを見いだす。それはもう一度子どもの側に立って考えるときである。


子どもが障害をもって生まれるのは稀なことではない。そのときにも、日々子どもが望むことに応え、配慮をもって関わることの大切さに変わりはない。障害にだけ目をとめて心配しすぎないように、毎日を大切に育てよう。


子どもが人間として育つには、生まれたときから、身近なおとなの配慮ある関わりを必要としている。

最初の人間関係を通して、子どもは自分自身と人間と世界に対する信頼を学ぶ。成長の途上には自らの存在をおびやかされる機会は多くあるが、周囲に対して不信感をもって人生を出発させるのか、世界は基本的に信頼し得るものと確信して生きるのかによって、人生はまったくちがったものとなる。

子どもとの信頼関係をつくることが、子育ての第一歩である。

子育ては雑事ではない。人間を学ぶ最善の場である。

遊び上手　遊ばせ上手

津守房江

子どもの遊びの始まりは、おとなから見ると何をしているのかわからないようなことが多い。ぶらぶらしていたり、あっちの物をちょっとさわったり、こっちの物をさわったりして落ちつかない。

私はこんなまとまりのないような時間を、とても大切なものと思っている。なぜなら、子どもが自分の興味と合う物や人を探している時間だと思うからである。そのうち子どもは自分から物や人を相手に遊び始める。このごたごたとした遊びはじめの時間を、おとなはゆっくり見守りたい。

遊びを探しているうちに、子どもは思うようにいかない相手やおもちゃに怒り出すときもあるだろう。そんな時は、子どもの遊ぼうとする意欲をちょっと盛り立ててやるおとなの励ましや心づかいで、その〝時〟を乗り越えることができる。

せっかくつなごうとしているレールがうまくつながらなかったり、友だちと走っているうちに転んで遅れてしまったり、子どもは遊びながら、我慢することや立ちなおることをたくさん学んでいる。遊びの熱気に乗っているので子どもにとって苦痛とならないのは、うれしいことである。

子どもは遊びの中で、その子の心の中にあるものを表現する。おとなが常識的に思っているのとはちがう遊び方をしても、危険がない限り口を出さずに見ていよう。遊びは〝自分が楽しいと思うことをする〟のだから、もっとも主体性が育つときである。

砂や水のような自然の素材で遊ぶときには、その子らしさが一番現れるように思う。私が砂で山をつくると、それを踏みつぶして行く子がいる。子どもは踏みつぶす足の感触を楽しみ、そこにできた足跡に興味をもっている。白い乾いた砂だけを集める子もいる。水を流して砂に染み込むようすに興味をもつ子もいる。いろいろな楽しみ方をしながら、他の子どもの世界にも気づくようになる。そうなったとき、一緒に遊ぶおもしろさを知り、他の子どものつくったものを壊すこともなくなるだろう。

子どもが「遊んで遊んで」とせがんでくることがある。そんなときにはこの子に少し時間をあげようと、子どもに気持ちを向けるときをつくってみよう。ときには親も遊び心を呼び起こして、一緒に楽しんでみたら家庭の責任者の重荷から解放されるだろう。

子どもと生きる中では、1日に1回は心からおもしろいと思い、笑うことがあるようにと願っている。

子どもに関心をもちながら、おとなが主導権を握ってしまわないように、ということが〝遊び上手〟を育てる〝遊ばせ上手〟となるコツかと思う。

「ひと」と「もの」に出会う

新しい世界を開く

子どもと一緒にいるときを大切にし、子どもとのやりとりを楽しもう。「いない いない ばあ」など人とのやりとりは、たがいに気持ちを通じ合わせる遊びの姿である。

子どものする小さな行為に目をとめよう。手に物を持つようになったとき、子どもには外界の物の世界が開ける。物を手放しても、おとなが拾ってくれればその物は永遠に失われたのではなく、再び自分の手元にもどることを知る。

子どものすることに、無意味なものはない。

「ひと」と「もの」への興味

出したり入れたり、落としたり…。あきずにくり返す子どもたち。「ひと」と「もの」を相手に、遊びの世界がひろがります。

●生まれて間もない赤ちゃんでも、手を眺めたり足をピンピンして元気に遊んでいます。声に合わせて家族が応えると、また声を出す…こんなやりとりも楽しいもの。半年すぎの子どもが大好きな〝いないいないばあ〟も、見えなくなったものの存在を記憶する力がつくとともに、人への親しみが育ってこそ始まる遊びです。心を通じ合わせることは、家族や友だちとのさまざまな遊びに発展していきます。

●物への好奇心も遊びの原動力です。生後3、4か月にはつかんだ物をなめたり振ったり。1歳前にはあちこちから物を引っぱり出すようになり、お父さん、お母さんが使っている鍵や台所道具、化粧品などには、とりわけ興味を示す姿が、成長記録にも表れます。出した物を入れるようになるのは、手に持った物と少し距離のある物を見比べて関係づけられるようになってからです。扉や蓋を開けたり閉めたり、落としては拾わせと、同じことばかりくり返しているようでもよく見れば変化があり、子どもにとっては興味深いことなのでしょう。

こうしてあらゆる物をおもちゃにしながら、手指の器用さ、道具を使う力などを得ていきます。

小さなやりとり

ベッドにひとりでいるところへのぞきに行って、目が合うと、とてもうれしそうににっこりする。ひとりでおとなしくしている時でも、誰かがきてくれると大にこにこで手足をバタバタ。とくに姉がくるとうれしいらしく、そばで大声をあげてドタバタ走り回っても、楽しそうにじっと眺めている。
石村千代　4か月

母の指を手のひらでしっかり握る。一緒にふってやると、とても喜ぶ。
山本圭恵　5か月

足の指に興味。体を曲げて足の指をなめてはじっと見つめている。
大蔵香保里　5か月

〝いないいないばあ〟が大好き。母の陰にかくれたり、出たりして父と遊ぶ。ベランダの小鳥には、カーテンの陰から〝いないいないばあ〟。
浦田愛美子　9か月

父が頬の内側に指を入れて、ポンとはじいて音を出すと、自分もまねをして、指を口に入れ、出しながら「パッ」と言う。
井上尚太　1歳

5cmほどジャンプできるようになった。本人はとても高くとんでいるつもりらしく、その後は「ほうー」と足もとを見つめ、感心しているようす。兄の「すごいね」のほめことばに何度もするが、最後は転んで大泣き。　夏目香菜子　1歳8か月

出したり入れたり　さわったり

音を出すことが大好き。畳やふすまを手でひっかいてカリカリ、ビニール袋をガサガサ、足でふすまやごみ箱などガンガンける。抱くと手を伸ばして後ろの壁をガリガリ。

大杉直人　6か月

食卓椅子にすわっているとき、ぱっとおもちゃを落としては音のした方をのぞいたり、手に持ったまま下の方をのぞいて、そっと落としたり。　遠山秀亘　7か月

部屋の隅に置いてあるおもちゃ箱につかまり立ちして、中をゴソゴソさぐっては味見をし、もどし、また別の物を出しては味見をし、長時間遊んでいる。後ろ姿が何だかおかしい。　幡宮慎太郎　8か月

布団や洗濯物をめくって中を見たり、母のエプロンのポケットに手をつっ込む。見えないところに興味しんしん。

三浦綾子　10か月

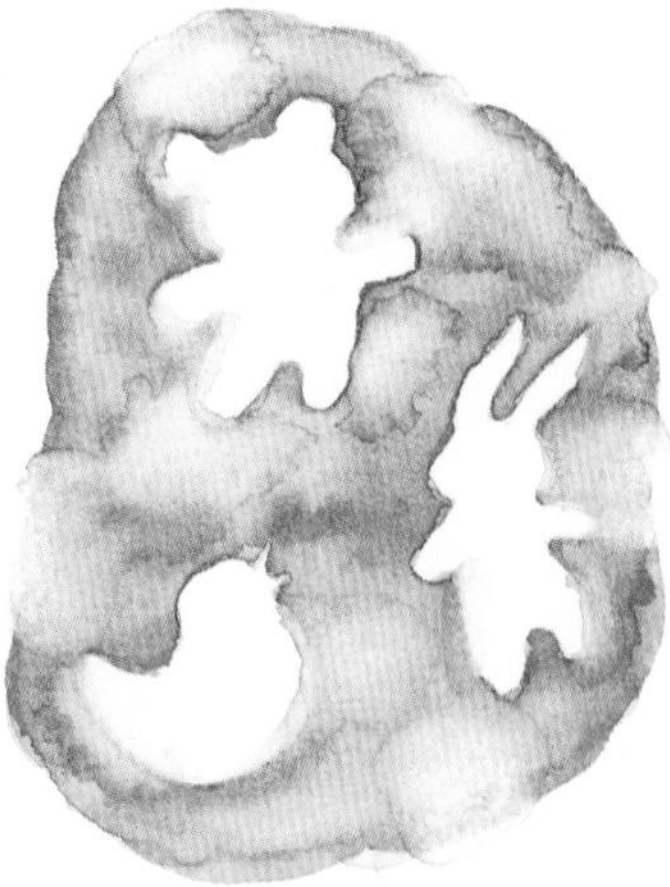

〝探検〟を満喫

斉藤晃士くんの成長記録から

3か月　物をつかめる手になり、抱かれると母の服や髪をつかむ。寝ているときは、シーツや枕のタオルを持って、口の方へ引っぱっていこうと一生懸命。

9か月　高ばいへ進歩、晃士の世界がたてにぐんとひろがった。部屋から部屋に移動し、とっかかりを見つけてはつかまって立ち上がり、満足げに体をゆすってはそろっとすわり、また探検に出かける。

1歳6か月　以前はいたずらに（親にはこう見えた。本人には心外だろうが）うろうろ走り回っていることが多かったが、最近は立ち止まって何やら夢中でやっている。葉や小石を拾ったりして、溝やマンホールのくぼみに落とすのが好き。大きいと引っかかったり、入らなかったり。いろいろ研究中。

お母さんの工夫

“つかむ手ばなす”おもちゃ

出したり入れたり遊びに　すきまに物をつめ込んだり、はめ込んだりするのが好きなのでつくったおもちゃ。プラスチックの蓋つきの、クッキーやお茶の缶に、落とす物に合わせて穴をあける。穴の大きさや形は月齢に合わせて変える。落とした物がよく見える透明容器や、牛乳パックなどでも。落とす物はタイル、ストロー、割り箸、ボタン…etc。タイルを穴に押し込んで遊ぶと、落ちる音も楽しい。工夫しだいでいろいろに。

須貝悦子（息子1歳）

牛乳パックやクッキーの容器でボタンやタイルを飲み込まないように気をつけて

流し台の引き出し、テレビ台のマグネット扉など、開くところに興味を示し、何度そこから連れ出してもまたもどる。引き出しからごみ袋、布巾などをポイポイ放り出して空になるとやっと納得し、機嫌よく去っていく。　大岡千晃　11か月

小石を右手に拾い、左手に移す。また右手で一つ拾い、左へ移そうとするがなかなか二つは持てず、落としては拾いのくり返し。単純なことだが、真剣そのもの。　磯輪ひとみ　1歳2か月

じゃんけん　あてっこ　かくれんぼ

母と姉がじゃんけんをしていると必ず参加。パーしかできないのだが、みんなで一緒に遊んでいる雰囲気がうれしいらしい。　石村千代　1歳4か月

両手をギュッと握って前に出し、「どっちどっち?」と聞く。母や兄が「こっち」とさすと両手をパッとひろげ、「あたったー」と大喜び。中身は小さいおもちゃとか風船とかドングリなど拓也の大切な物。3人で順番にかくしごっこをして楽しみます。　平出拓也　2歳6か月

マーくん8歳、サイちゃん5歳とカルタをする。皆があきた頃「自分が読み札をやる!」と手にしっかり握る。「ヘソのオシリ!」か「ゴーゴーキキ!」「ゴメンナサイデス!」しか言えない。本人は字札をジーッと見て読んでいるつもりなので、母も「ヘソのオシリ!」と叫んでパッととる。大きい子たちも、そのでたらめカルタとりにおかしくてゲラゲラ。ルールが適当でも通じるところが子どものスゴサ!　安斉美穂子　2歳6か月

細かいものを使う遊びでは弟にじゃまされることがしばしばなので、かくれんぼや、すもうなど、何も使わないでできる遊びをやりたがった。いつもかくれる

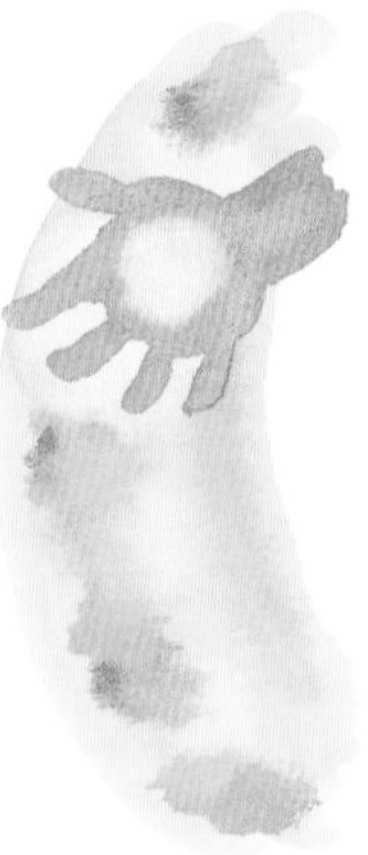

遊びはどこにでも

佐光存人くんの成長記録から

5か月　ゴンジンゴン（高さ20㎝くらいの白くまのぬいぐるみ）と大の仲よしで、正面に置くと、首をもち上げて延々と何やら話している。ちょうど目の高さが合うらしい。兄も加わると満面の笑みで「アッアァッウー」と3人（?）でじゃれっこしています。

11か月　「のぞく」という行為がおもしろいよう。湯船の中で、母のひざにのって外をのぞこうとしたり、台所で兄の踏み台につかまってシンクの中をのぞこうとしたり。何かにつかまって立つと、その向こうのものが見えるというのは、きっと素晴らしい発見だったのだろうと思う。

1歳3か月　実家の階段を上っていってしまい、「あぶない」と母はあわてる。それがうれしくてたまらないようで2、3段上っては振り向き、〝止めてよ〟と笑顔で催促。ふざけたり遊んだりするようになる。

1歳4か月　存人の三大お仕事。居間にあるケースからビデオテープを出す。ごていねいにケースとビデオを全部バラバラにしてくれる。その二、洗面台。台の上にある物をすべて下に落とし、下の棚から石けんなどを引っぱり出す。ついでに洗濯ばさみもかごから出してばらまく。

場所は同じだが「まーだだよ」と何回も言って、真剣にかくれている。母が見つけられないふりをすると、うれしそうに「いいかくれ場所を見つけたでしょ?」と得意げ。
山下　純　3歳2か月

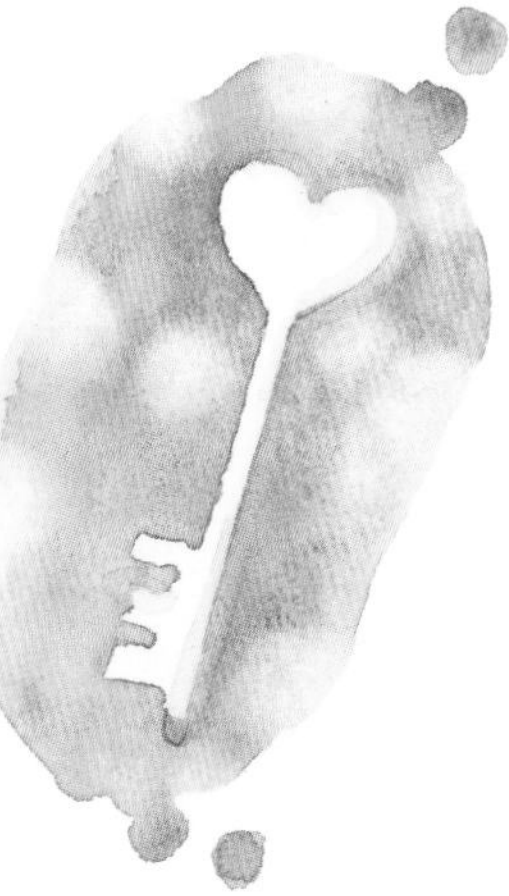

子どものお気に入り

ひとりで静か…と思うと、キーホルダーを持って鍵穴に入れたり、鍵つきのおもちゃで遊んでいる。ガチャガチャと操作しているうちに、閉じていたものがパッと開くというのは、さぞ魅力的なことだろう。子どもが興味をもつものは、おとなにとっても大切なものであるように思われる。
古川知志雄　1歳5か月

大好きなミニカーを巾着袋にあるだけつめて、自分で下げます。ずっしりと重いのですがどこへでも持参。夜寝るときも離しません。
笹山隼人　2歳5か月

ボール遊びをひとりでやり始めた。シーソーやすべり台で転がしたり、投げたり、追いかけてよく遊ぶ。家にもどるときはしっかりボールも持って帰り、水道で石けんをつけて洗っている。ボールを愛しているよう。
斉藤晃士　3歳3か月

その三、玄関。兄の靴を中心に、室内に移動する。靴箱の引き出しは、出して中を空にする。回収に出す牛乳びんは、すべてキャップをはずし横倒しに。静かなときはたいてい熱心に業務中。

2歳2か月　石ころが好きで外に出るたびに拾ってくる。大事に持って歩き、落としてしまうと一生懸命探す。トイレやおふろ、布団にまで持ち込むほれ込みよう。いったい何がそんなに子どもを引きつけるのだろう。靴箱の上は小石でいっぱい。

3歳7か月　朝、くもった窓ガラスに背伸びをしながら一心に落描き。存人、兄、父と各々具合のよい高さに描いては、お話をつくって遊ぶ。また、日の光に照らされた小さなチリを「つかまえよう」と、無心でパチンパチンと手を打ち続ける。

お母さんの工夫

フェルトのおもちゃ

遊び方は十人十色　色のちがう厚手のフェルト（20cm角）２枚をボンドで貼り合わせ、ボンドが乾いたら、ハトメかパンチで思いつくままにポンポンと丸い穴をあけます。これにひもを通して縁をかがったり、はずしたり、結んだりとあきずに楽しそうです。カラフルな靴ひもを使うと、表にも裏にもきれいな模様ができます。
佐々紀子（息子４歳、２歳）

背くらべや輪つなぎに　フェルトを６等分して短冊の形に切り、２枚合わせて縁をミシンで縫う。片方にボタンをつけ、もう片方にボタン穴をあける。輪つなぎにしたり、つなげて背丈と比べたり、三角や四角、六角形などつくったり。
加藤苑子（娘５歳　息子２歳）

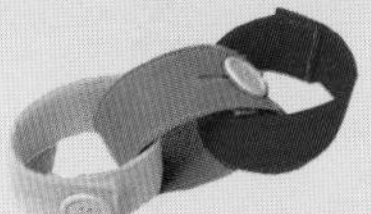

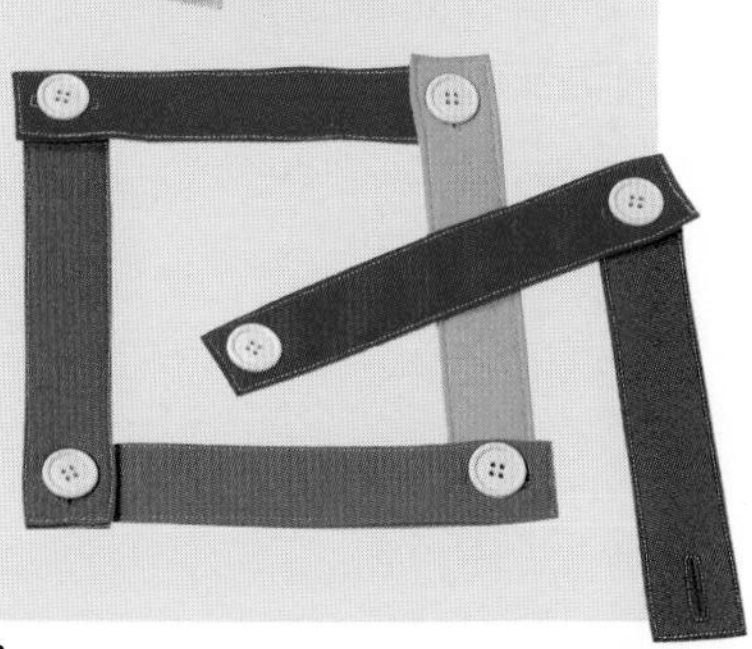

一緒の時間　ひとりの時間

子どもの〝遊びに見えない遊び〟や、〝ひとりの時間〟を、そっと見守ることは、おとなにとっても楽しいひとときです。

●ふと見ると、子どもがぼんやりしていたり、ひとりで黙々と何かしていることがあります。おとなの目に〝遊び〟とは見えなくても、何か見つけてそっと心に夢を育んでいる時なのかもしれません。しばらくすると体をくっつけてきたり、何かを見せようと持ってきたり…。遊びが人との関わりの中で展開していくことも、心の中で深められていくことも、ともに大切なことなのでしょう。

●おとなは、形にならない遊びのおもしろさや、子どもにもひとりの時間があることを理解し、声をかける時、そっと見守る時を知り、子どもの遊びを支えたいものです。

〝安心〟の中で

実家でおとながたくさんいるだけで安心するのか、誰もかまうわけでもないのにひとりで遊んでいた。自宅ではすぐだっこをせがむのに。

山下　純　11か月

母が台所にいると結構ひとりで遊ぶが、何分かおきに台所へきて、後ろからしがみついてくる。そうして、しばらくすると、またひとり遊びをしに行く。そのくり返しがとてもかわいい。

松下湧貴　1歳5か月

どうしても遊んでほしい時は、手を引っぱっておもちゃのある所までつれて行き、いろいろと出してきて、なんとか遊んでもらおうといっしょうけんめい。

石村千代　1歳5か月

人形と絵本をひろげて、何やらひとり言。よく聞くとひとりで何役もこなし、お説教したり、泣きまねしたり、歌ったりと楽しそう。でも母が行くと、にやにやしてやめてしまう。何だか急におとなびた顔つきになりおもしろい。

夏目香菜子　2歳4か月

ジグソーパズル（幼児用）に熱中。ひとりで長時間とり組む。人に教えてもらうのが嫌いで、できないと泣いてしまうこともある。

二村　萌　2歳7か月

〝母でなければ〟と、母を求めるのは具合のわるいときや寝起きぐらい。あとは母から離れて、じっくりつき合ってくれる相手と遊んでいる。今、その相手は同居のおばあちゃん。一番おもしろく遊びを引き出し、発展させてくれる人なのだと思う。

丸山　遼　2歳8か月

母が忙しく用事をしていると、姉弟とも示し合わせたようにまとわりついてくる。ペースを落として子どものしたいようにし始めると、不思議なことに二人でずっと遊んでいて、ママのことなどまるで関心がないみたい。すわっているだけで安心できるのかな。

国重道大　2歳10か月

わたしの大好き ぼくのお気に入り

窓辺でおはなし

私が臨月となり、一緒に遊ぶのはしんどいので、歌を歌いながら父の帰宅を窓辺にすわって待つという遊びを考案。部屋を暗くして30分くらい歌やなぞなぞをする。暗い部屋が結構楽しい。

笹山順子（息子３歳）

空飛ぶ洗濯かご

雨の日など、洗濯物のかごに子どもを入れ、“空飛ぶかごごっこ”。家のあちこちへ連れて行ったり、机やたんすの上など高いところに乗せると大喜び。

小林英子（娘１歳）

アルバム “たろうのだいすき だいしゅうごう”

生後２か月の頃から、身の回りに好きなもの、好きな人が出てきた。“好き”という思いはとても前向きなエネルギーだと思う。それを大切にしてほしいという願いから、月齢ごとに写真や絵を貼ったり描いたりしてできたのが“たろうのだいすきだいしゅうごう”。成長ぶりもよくわかります。

須貝悦子（息子１歳）

◆ 9か月 “たんけん”

私が台所で忙しいとき、父さんは太郎を“たんけん”に連れて行ってくれます。あっちの部屋、こっちの部屋、ふろ場、トイレをのぞいたりするだけだけど…太郎は大好き。

◆ 5か月 クッション

体を大きく動かして遊ぶのが好き！ 軽くて大きいクッションは中でもお気に入りで、けったり振り回したり大あばれ。座布団用の薄いスポンジを切って重ね、キルティング布を被せてつくりました。

◆ 4か月 つるしガラガラ

母さんがつくったつるしガラガラ。ゴムで伸びるので、ひもを引っぱっては振り回し、鈴の音を聞いて楽しむ。

◆ 5か月 新聞紙＆包装紙

だいだいだ〜い好きになったのが包装紙や新聞紙。くちゃくちゃにしたり、ビリビリ破ったり、振り回したり。お出かけのときにも持っていくと、退屈したときにとても重宝なおもちゃ。

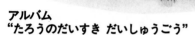

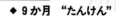

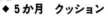

こんな"コトバ"をひろってみたら

…たり、…たり

年末年始、両親のそれぞれの実家ですごす。約10日間の滞在で、"泣けば抱いてもらえる""顔を見て、泣いたり笑ったり態度を変える"などをすっかり身につけ(?)、その知恵のついたことに感心したり、困ったり。

山口純平　5か月

食事中に洸がフォークを落とした。おとなにとってもらいたいらしいが、自分でとるように言うと、フォークのすぐ上に手を伸ばし体も伸ばし、片足まで上げて伸ばし、「精一杯伸ばしても届かないよ」というポーズ。「ウーン、ウーン」とかけ声まで入り、演じきっている。母に断られ、父に頼むと、父も洸と同じポーズをとり「届かない」。祖父にも「届かない」と断られ、とうとう落ちたままに。絶対に自分で拾わない頑固さと、演技までしてしまう頭の働きにあきれたり、驚いたり。

浅川　洸　1歳7か月

お友だちは嫌いと言う。一歩外に出ると話をしない。尻込みをしてしまう。今はともに遊ぶ時期ではない、その前段階と思ったり、このままでは困ると考えたり。

征矢早央里　2歳6か月

弟（1歳6か月）と一緒に出かけるとき、自分より遅れてくる弟を「ぼくひろちゃん呼んでくる」と後もどりして、ときには手を引いて連れてきてくれる。家の中では物のとり合いばかりなのに、こんな面もあったと驚いたり、安心したり。

荻原克幸　2歳9か月

見方さまざま

…か、…か

椅子にすわって、おもちゃを手に持たせると、しばらくは遊ぶが、下に落としてじっと見る。拾ってあげると再びポイッと捨てる。拾わないと「わぅーわぅー」と命令（?）する。拾うとまた捨てる。落とすのがおもしろいのか、拾ってほしいのか、心をかけてほしいのか。

大貫　航　9か月

歯みがきが今まで大嫌いで暴れていたのに、急に11月後半からおとなしくなりました。ある日突然で、何が原因かまったくわかりません。"もうすぐお兄ちゃん"を自覚したのか、あきらめたのか、まったく不思議です。

富田裕章　1歳11か月

ぬいぐるみのウサギを赤ちゃんに見立てて遊ぶ。母が妹（6か月）にしていることをまねている。自分がそうやって遊んでいるのを見られたくないのか、部屋の戸を閉める。妹をかわいがりたいのにさせてもらえない気持ちからの行動か。母親と自分とふたりきりのときをもちたいという行動か。

佐藤　光　3歳5か月

気持ちよく1日をすごせたなと思える日が多くなり「おやすみなさい」をするのだが、こわい夢でも見るのか、夜中に泣いたり叫んだりすることがよくある。一見おだやかに見えるが、心の中にストレスがあるのか。それとも、そんなに考える必要のないただのこわい夢なのか。

磯輪ひとみ　3歳11か月

思いめぐらす

つくる・描く
心にあふれるものを形に

自分の手でさわり、握り、ちぎり、丸めるなど、自分が選んでするこことは、形にならなくとも、心の表現である。おとなにとってはめちゃくちゃに見える絵も、子どもにとっては意味のある線である。つたなく折りたたんでおとなに差し出す紙の内側には、子どもの心が秘められている。

子どもが差し出してくれる小さな作品を、心をこめて受けとろう。それは子どもの固有の世界を発見するときである。

紙で遊ぶ

紙は、子どもの手にかかればボールにも、雪、飛行機、かぶとにもなります。紙のボールを転がしたり、ときにはセロハンテープの大きなダイヤモンドが届いたり。あきずに遊びは続きます。

●生後、半年頃からの赤ちゃんは、ティッシュや新聞紙をクシャクシャにしたり、振り回して遊んでいます。紙は自分の思うように丸めたり破いたりできる、楽しい素材です。

●子どもが片手で紙を持ち、もう一方の手ではさみを持って切ることができるようになるのは、左右別々の手の動きを一つのまとまった仕事にする力がついてからです。子どものはさみはあまり切れないものをと考えがちですが、無理に切ろうとしてかえって危ないので、ちゃんと紙が切れるものを選びます。先は丸いほうが安全。おとなのいるところで使わせましょう。

●切ったものを貼ったり、材質のちがう紙や、布や毛糸、木の葉などを貼るのもおもしろいことです。手はのりでベトベト、紙からのりがはみ出したりしますが、描くのとはちがうおもしろさを味わっているようです。また、セロハンテープを丸めて遊んだり、3歳頃には空き箱などを貼り合わせて立体的な形もつくっています。

●折ったり切ったり、おとなから見ればでたらめにつくっているように見えても、子どもは考えをもってしているのでしょう。何か形を見いだして「これはママのたけのこズボン…」などと名づけたりしています。

　また、何かを大事そうに包んでいることがありますが、そこには、その物に寄せる子どもの心が見られるようです。お母さんも大切にしてあげましょう。

紙にさわる　包む　折る

　広告の紙、雑誌、ティッシュペーパー、スーパーの袋など、カサカサと音のする紙にとても熱心。なめて、たたいて、握ってようすをうかがっている。

齋藤　咲　6か月

　母をまね、大切な物を紙やハンカチで包むことに凝っている。

中村大樹　1歳10か月

　折り紙をくるくると丸めてねじったものはキャンディー、くるくる丸めてテープで貼ると〃ナマケモノ〃（どうも忍者のマキモノらしい）。次々と新しい遊びがひろがっていく。

松村志帆　3歳1か月

　折り紙が大好きになり、ついこの間まで、グチャッと折っていたのが、上手に角を合わせせられる。

柴田理沙　3歳4か月

クレパス、はさみ、のりを使って、誰にもわからないような「物体」をつくって遊ぶ。本人は一応テーマがあるらしく、後で教えてくれるが、やっぱりよくわからない。

齋藤　萌　3歳10か月

保育所で紙飛行機づくりがさかんで、家でも本を見たりして、親子で折っては飛ばしっこ。おかげで家中紙だらけになっています。

餌取雄一郎　4歳

切ったり貼ったり

はさみを上手に使い、細かく紙を切る。すごい集中力で「おやつよ」と言っても聞こえないほど。はさみで遊び出して5日目、やってくれました。断髪！

長江陽一郎　1歳11か月

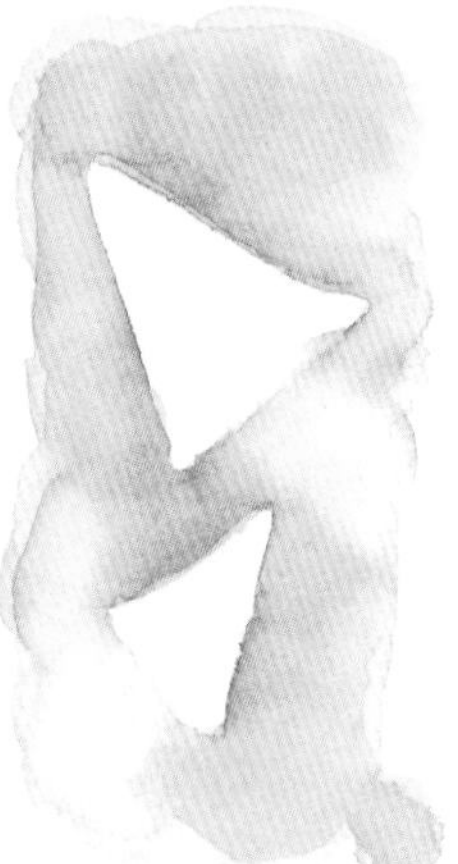

はさみをいちいち両手で持ち替えなくてもチョキチョキ進めるようになり、広告の紙を切って「三角できたよ」「これはママのたけのこズボン…」いろんなものをつくる。

小野由真子　2歳3か月

シールを貼ることと、はさみが気に入っている。シール絵本を与えてみたら、まだ絵の背景は理解できず、広場で〝じゃじゃまる〟が泳いだり、海の中におすしが浮いていたり。それでも何か本人には決まりがあるらしく、楽しんで遊んでいる。はさみは片手で刃をひろげられず、両手で引っぱって開けてから手を入れている。

富田裕章　2歳6か月

雪の降った日、空を見上げて、「神さま、また紙をちぎってまいてるね。あんまりいたずらしたらいかんよ」と言う。自分も新聞紙をちぎって、たくさんの紙吹雪をつくり、それをまいて遊ぶので、それに似ていると思ったようだ。

林　滉一郎　3歳4か月

折り紙をたたんで、はさみで切ると、ひろげたとき、きれいな模様の切り紙になっているので大喜び。あっという間に、一袋の折り紙をみんな切ってしまう。切った作品をお友だちにあげたがる。

笠原善太郎　3歳6か月

お母さんの工夫

はさみ　のり

目の届くところにいるときに　まだ、紙を切ることはうまくできませんが、切ってみせ、切ったものを貼り、話をします。一緒につくるといろいろ話すこともでき、楽しく思います。　寺上節子（娘1歳）

使いやすいのり　のりはチューブタイプをお皿に出していたが、カップ容器ののりにしてからは、のこったりもせず、重いので動かず、使いやすいよう。

原　淳子（娘2歳）

よく切れるものを　保育園では割合積極的に紙を切らせるので、家でも小さめで先が丸く、切れ味のよいものを用意しました。一度だけ手を切りましたが、それ以来注意しているようで切りません。

清水朋美（息子3歳）

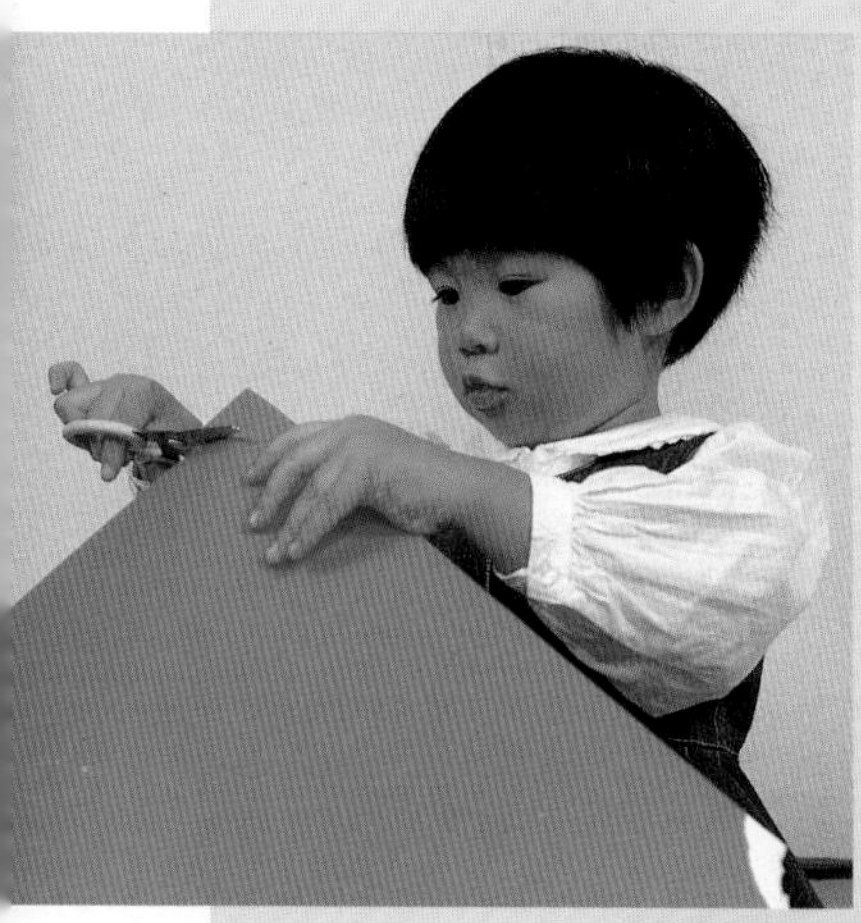

一生懸命紙を切る

積み木や粘土で遊ぶ

積む、くずす、並べる、組み合わせる。子ども自身が働きかけて、はじめてさまざまな形が現れる――。おもちゃは、積み木や粘土のように単純なものほど、子どもの創造力が生きるでしょう。

●生後半年頃から物をつかむことが盛んになり、じっと見てなめたり持ち替えたり、つまんで容器に入れたり、何かの上に置いてみたりと、さまざまに遊び始める姿が成長記録に見られます。

1歳頃に積み木を積むようになる前に、くずして遊ぶ時期があります。やがて一つ二つと積み始め、床に並べて形づくるのは一般的にその後です。そしていろいろと複雑な形をつくるようになり、人形やミニカーなどと組み合わせて遊んだりもします。

●ほとんどの積み木には単位寸法があり、それぞれの大きさはその半分や倍、またその倍の関係になっています。こうした法則性は、左右対称の美しさ、バランスなどを求める心にもかない、子どもでも、それを使って自分の表現したい形をつくることができます。またときには、対称をくずしたりもするのです。

●2歳くらいまでの子どもは、大事なものがこわれると大泣きになるでしょう。けれども積み木は途中でくずれても、気をとりなおしてまた積むことができますし、つくり上げてからも、自分でこわして次の発展へと挑戦していきます。積み木やブロック遊びは、いつでも次への可能性を秘めているのです。

●子どもは手で物をいじるのが大好きです。粘土は、こねて形をつくる楽しみを味わえる点で砂・泥遊びと通じますが、つくった形が保てます。そのためおとなは形が気になったり、つくってはこわしていると「何かつくってみて…」などと、つい口をはさみたくなってしまいますが、子どもはこねまわして遊んでいるだけで充分楽しいのです。

積み木・ブロックで形をつくる

何はどうやって遊ぶものであるかがわかるような、遊び方になってきた。積み木なども、今まではかまわずにこわすばかりだったのが、ちょっと考えて一つ一つ持って動かすというふう。

古川知志雄　11か月

親は積み木は積むものと考えるが、真菜は積むより、一つの入れ物からもう一つへ上手に移していく。自分で遊びをつくり出している。

安藤真菜　1歳4か月

洗濯ばさみを箱のふちに並べてはさんでは、箱の中へもどすことに熱中。積み木も上に積むことから、床にひろげてつなげたり、丸い形、四角い形といろいろ組み合わせる。　為水康介　1歳7か月

積み木にとても興味があるせいか、何でも上手に高く積み、手をたたいて喜んでいる。入浴中もおもちゃを積み重ねたり、テーブルのみかんがいつの間にか三つ重なっていたり。　佐藤幸範　1歳9か月

ブロック遊びが気に入って、「お家をつくったから見て」と母を呼ぶ。おつかいに行こうと誘っても「ちょっと待ってよ。いま、ブロック」。　石井吉樹　2歳1か月

プラレールの線路を粘土と積み木で組み合わせて、縁側から洋間まで長いレールをつくり、誰にもさわらせず「だいじ」と言ってそのまま昼寝。母が縁側からきたら突然起きて「おかあさんがレールかたづけちゃった」と泣く。片づけてないとわかると、またすぐ寝てしまった。
矢沢直樹　3歳8か月

見たもの、あったできごとをすぐブロックなどでつくる。ダムを見た次の日に、部屋いっぱいに布団や服をつなげてダムをつくった。表現力はバツグン（だと母は思っている…）。　濱田章裕　3歳9か月

粘土をこねて

小麦粉粘土が大のお気に入り。細かくちぎったり、両手でこねたり伸ばしたり、「コネコネ」と言って、毎日ひとりでよく遊ぶ。　柴田　陽　1歳9か月

兄がするのを見て、折り紙、粘土、お絵描きの毎日。粘土もただ握りつぶすことから、丸めたり、ナイフで切ったりと手先も器用になった。　夏目香菜子　2歳

粘土を喜んでいつまでもいじっている。つくるものは怪獣が多くて、母はちょっぴりがっかり。　中村俊亮　2歳6か月

お母さんの工夫

積み木いろいろ

牛乳パックで　洗っただけの牛乳パックでも、積み上げたり、こわしたり、楽しく遊んでいます。軽く、いくつでも用意でき、今のところ簡易積み木のこれで満足。　出口夏実（息子1歳）

たくさんあると遊びが広がる　積み木はレンガ型で全部同じ形だが、線路をつくったり、数が多いほど遊びの幅がひろがるようだ。　諸隈洋子（息子3歳）

いろいろな木を使った積み木　重さ、匂い、色などそれぞれちがい、木の名前もついている。
宮本　朱（息子2歳　娘1歳）

大きなコルクの積み木　軽くて大きいコルクの積み木（自由学園工芸研究所の）を、娘が2歳のとき購入しました。今、下の子が大好きで、片づけても片づけても出してきます。
村松眞理（娘4歳　息子1歳）

積み木で遊ぶ

絵を描く

――いったい何を描いているのでしょう?

子どもは、自分の心の中にあるものを、のびのびと紙の上に表しているようです。毎日の生活の中で、親しいもの、興味をもったもの、ほしいものをいっぱい描いて…。

●赤ちゃんは、お母さんがボールペンで字を書くのを、じっと眺めているでしょう。そしてそのペンをとり上げてなめたり、いじったり。やがて1歳すぎには自分も書くものを握って、何か書こうとします。自分の手が動くにつれて、何かの形が見えてくることは新しい体験であり、とてもおもしろいことでしょう。こうして、その物のもつ使用目的――クレヨンやペンは書くためのものだということもだんだんわかってきます。

●子どもの絵を年齢を追って見ると、最初の頃は線がよろけていたり、手が垂直に動いて点々になったりしています。そのうち鉛筆を紙に添わせて往復する線が描けるようになり、手首が回転するようになると、腕全体を使って渦巻きを描き、やがて丸という一つの形をつくるようになります。

　その頃から、何かを表現しようとする意識も出てきます。それは、描いた絵を見て名づけることから始まります。「何々を描こう」というつもりをもって描くようになるのはもっと後ですが、そこに描かれるのは子どものよく知っているもの、興味をひかれたものが画題となっています。どの子も丸が描けるようになると、人の顔を描いているのは、それが一番親しいものだからでしょう。外遊びや家庭での豊富な生活体験や感動が、いきいきとした絵を生み出す力となります。

　描きたい気持ちになったときに、いつでも自由に描けるように、クレヨンや裏紙の置き場所を決めておくとよいでしょう。

●子どもが描いた絵は、まだきちんとした形になっていないことが多いでしょう。「ブーブー」と言って持ってきた絵が車に見えなくても「自動車なのね」とおとなに受けとめてもらうと、子どもは喜んでまた描きたくなるのです。

　3歳頃までは、人の絵を描いても頭から手足が出ていてあたり前、位置関係などは無視して気持ちがおもむくままに描いています。肩から腕、胴から足が出る絵を描くのはもっと後のことです。

てんてん　グルグル　なぐり描き

鉛筆をほしがったので持たせると、紙になぐり描きをして楽しそう。
大川朝子　1歳

「ジジかく」と言って鉛筆やクレヨンでぐるぐる描く。大きく力づよく描くようになり熱中する。
金井　光　1歳11か月

なぐり描きしたものが、蝶の形に似ていると「ちょうちょ、ちょうちょ」、新幹線に似ていると「しんかんせん」とくり返し言いながら、紙いっぱいに描いている。
石積友理恵　1歳11か月

2か月前にはじめて鉛筆を持たせたら、〝点〟をノートいっぱいに打っていたが、しだいに〝点〟がつながり斜め線になり、最近ようやく〝丸〟になった。一筆描きの丸を、何度も色を変えて描くのが得意。
中野めぐみ　2歳2か月

色や形に興味が…

ジグソーパズルに興味をもち始め「どこかなぁ」「ちぁうねー(ちがうね)」と言いながら、ひとりで熱中。でき上がると両手を合わせ拍手。
小島　萌　1歳10か月

お母さんの工夫

大切にしたい子どもの絵

スクラップブックに貼って　お絵描き帳を与えていましたが、子どもはいろんなものに、いい絵を描くので、何とかそれらを大切にしたいとスクラップブックを買いました。そのときそのときに、のりで貼っています。　斉藤美紀(息子4歳)

絵の話を聞く　描いた絵は壁に貼ったり、ファイルして、ときどき「ゆうくん、これは何を描いたんかなぁー?」と、説明を聞くのを、親が楽しみにしている。
川上和美(息子7歳、4歳)

写真で記録　積み木やブロックの作品は写真に撮っておきます。日付が入るカメラだと「いつ」の作品かまでも、ひと目でわかるので便利。清水明美(息子3歳)

アップリケにも　子どもの描いた絵をアップリケ、ししゅう、編み込みで子どものバッグやセーターにつけました。
阪山寧子(娘4歳　息子2歳)

クレヨンを持って　公園や動物園に行くときは、クレヨンとスケッチブックを持って行く。だんだんいい色づかいをして描くようになった。
菱田和代(娘4歳　息子1歳)

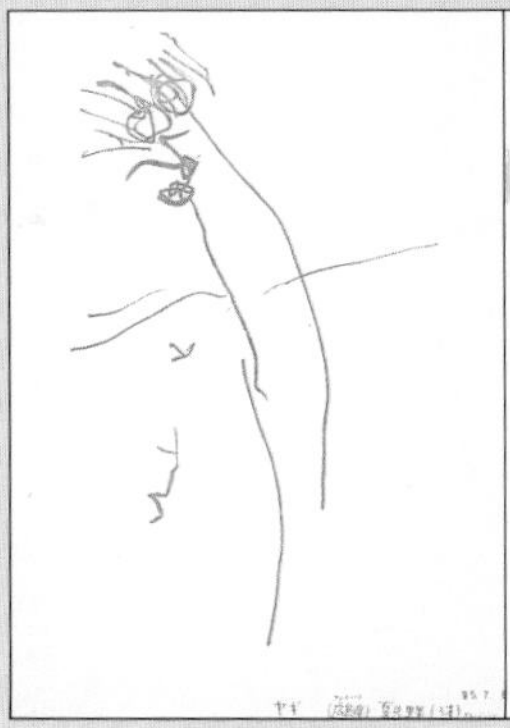

ヤギ　夏見里果　3歳

みよちゃんとみよちゃんのお母さん
辻井まゆ子　2歳10か月

苺ジャムを作っているおかあさん　平下秀　2歳5か月

図形（○△□）に非常に興味をもち、新聞などで小さな三角を見つけると大さわぎして喜ぶ。あまり好きでないニンジンも、三角の形に切ってみたら喜んで食べた。

鈴木佑香　1歳9か月

青と赤の液体が入っているおもちゃの、青を指さして「パパ」、赤を「ママ」と言う。「こうちゃんは?」と聞くと黄や緑のものをさす。

斉藤晃士　2歳

色がだいぶわかるようになり、信号機を見るたびに「あか、あお、きいろ」と大声で、しっかりあてる。何を見ても「これ○○色」。

森　美里　2歳4か月

クレヨンを買ったら、寝るときはお布団の中に入れ、おふろに入るときはドアの外に置いて、上がるとすぐ手に持ち、よほどうれしかったのか絶えず持って歩く。「おかあさん紙ちょうだい」と言っては自分で描いたり、母に電車や飛行機を描いてもらう。

佐藤圭悟　2歳9か月

「これおじいちゃんの顔、これ○○の顔」とはじめて絵らしい絵を描き、丸い輪郭の中に目、鼻、口もそれとわかるように描く。

垣中麻美　2歳10か月

顔と手足だけの絵から、胴のついた絵に移りつつあり、びっくりしている。その手にリンゴを持たせたり、頭に帽子をかぶせたり…。描いたものをテープで壁に貼りつけてご機嫌。

金丸奈保子　3歳2か月

ぶらんこをたくさん描いて「こーんなにいっぱいあったら、みんなが順番しなくてもできるね」。

今枝隆之介　3歳8か月

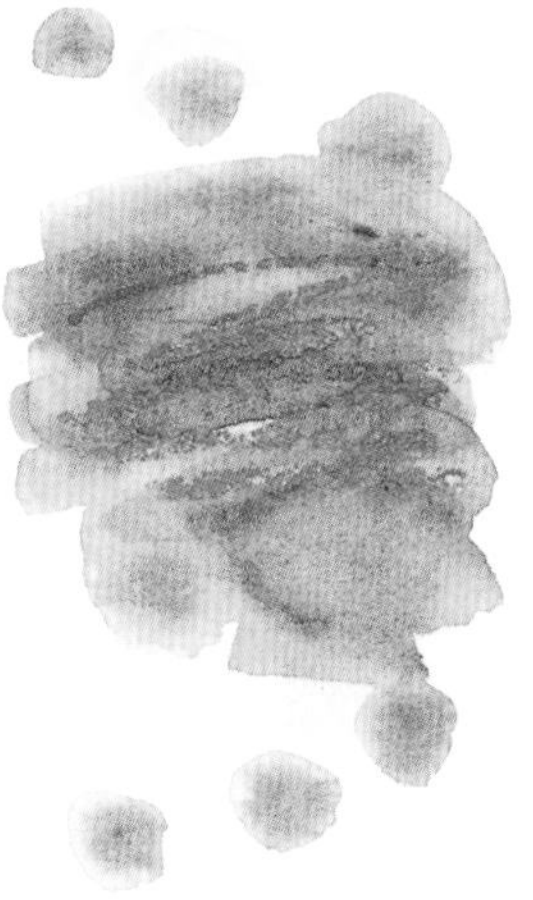

画用紙に青いクレヨンで何枚もなぐり描き。それを紙芝居に。「海のお話。海はうれしくてバイバイしました。海はうれしくてバイバイしました…」。内容はこれだけだが、終わると拍手しなければなりません。

河原　直　3歳10か月

ぐじゃぐじゃ虫

国重道大くんの成長記録から

1歳6か月　クレヨンが大好きで、ところかまわず描き回る。床は我慢しても、壁は跡が消えなくて困る。画用紙は小さすぎるとばかりに、わざとあちこち描いているように見える。

1歳7か月　動物の図鑑が大好きで、マジックでいっぱい落描き。ヘビとハイエナは黒くぬりつぶしてある。おばあちゃんの嫌いなものばかりで、よくわかっているなあと感心。

2歳3か月　お姉ちゃんとお絵描きしながら、道大「これ、なーんだ」　姉「ぐじゃぐじゃ虫」　道大「ピンポン」。何を描いても正解は「ぐじゃぐじゃ虫」。

2歳6か月　はさみが大好きで、持たせていると何でも切ってしまう。ママの編みかけのセーターの毛糸、自分の髪の毛、さらに洋服やおもちゃ。叱ったときだけ謝って反省するが、後はまたくり返し。

3歳8か月　きれいな紙やスチロールのトレイをとっておくと、はさみで切ったり、のりで貼ったり、ひとりでいろんなものをつくる。先日はトイレットペーパーの芯を半分に切ってくっつけて、双眼鏡をつくってくれた。部屋中ごみの山になりながら、ひとりで熱心につくる姿はじゃまできない。

文字に興味をもち、書けないのに、毎日友だちに手紙を自分なりに書いている。

宗　若奈　4歳

どこでも　どこへでも

クレヨンで描くことが大好きになり、ところかまわず描きまくる。「ここはだめよ、これにかこうね」とカレンダーの裏をさすと「うん」と納得、しかしときどき自分で「め！よね」と言い、そっと母の顔を見ながらテレビなどに描く。

森川雅子　1歳7か月

凸凹のある物の上に紙をのせて鉛筆でこすり、模様を浮かび上がらせるのがお気に入り。おもにお金でするが、外に出るとマンホール、溝の蓋などあちこちで紙をこすっている。

森寄　薫　2歳8か月

絵描き、色ぬり、ついで壁に鉛筆でいたずら描き。見つかって「みえた？　みえたか！　みえないはずだったんだけどなー」。

久保田　静　3歳10か月

ふだんはあまりお絵描きをしないのだが、ある日地面にいくつもドアを描く。真四角の、少し丸いの、大きいの、小さいの…といろいろ描き、ノブも○の印をつけて「勇太のドアはどれにしようかな？」と選んで楽しそう。

井上勇太　4歳

家族を描き分けて

山本圭恵さんの成長記録から

1歳8か月　姉をまねしてマジックで紙に絵を描き、でき上がると見せにくる。「上手ね」とほめると得意顔。手、足、顔、服にもお絵描きしている。

2歳4か月　粘土遊びに夢中で、クッキー、ピザ、おもちをつくり、おもちゃのオーブンに入れてでき上がり。とてもおいしそう。

3歳5か月　折り紙を丸めたり折ったりして、花、ヨットなど考えてつくる。母の誕生日には、姉と一緒につくった〝腕輪〟を包んでプレゼントしてくれた。

4歳3か月　人がうまく描けるようになり、特徴が出ていておもしろい。父―ウオークマンをしている、母―メガネ、姉―歯が抜けている、自分―お姫さまのよう。

お母さんの工夫

用意してあるものは…

筆と画用紙は大きいものを　絵の具のときは大胆に大きな絵が描けるので、筆も画用紙も大きいものを用意しています。

久保田愛子（娘6歳、3歳、11か月）

“三原色”を常備　ポスターカラーは、赤青黄の三原色のみ買ってあり、その他、絵筆3本、牛乳パックの筆洗い3個を用意。好きなように混ぜてみたり、ぬりたくったり。　菅野　幸（息子3歳、1歳）

カレンダーの裏に　使い古しや使わないカレンダーがたくさんあるので、絵はその裏を使ってクレヨンやサインペン、鉛筆などで描く。　石川八千代（息子3歳）

ツルツルすべらない紙に　ちらしの裏に描かせていたのですが、ツルツルすべってしまいます。できるだけ画用紙ふうのものに描かせています。

吉田宣美（娘3歳）

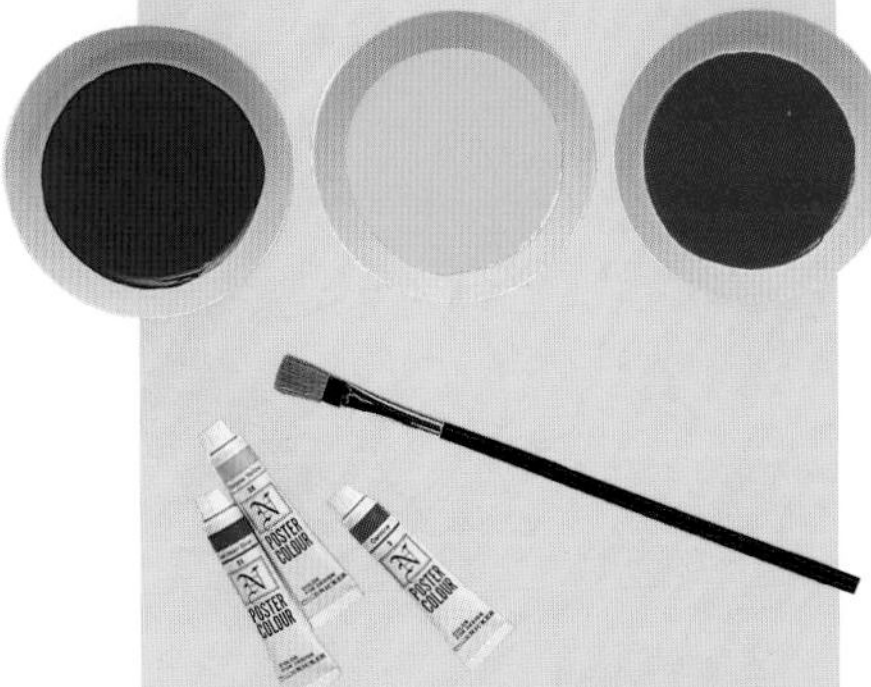

ポスターカラーは三原色を用意

遊びの工夫

大きく描こう

等身大の「わたし」

人が描けるようになった頃、大きな紙の上に子どもを寝かせてざっと輪郭をとる。子どもは顔を描いたり、服のあたりに色をぬったり。　　佐藤美子(娘6歳、3歳)

完全防備!

ビニールシートをしき、スモックを着る。　　原　淳子(娘2歳)

絵の具をつけたボールを紙に転がす。しずくを落としてストローで吹くと…。二つ折りにして開くと、どんな絵ができるかな。

いっぱい描こう

絵の具を使って

絵の具を溶いて皿に入れると、指で絵を描き、手、足ではんこ。芋判などもおもしろい。　林　二美(息子3歳、1歳)

絵の具のときは、一緒に描いた。葉っぱや手に絵の具をつけてペタン、ペタン。　岡部敏子(娘6歳　息子3歳)

“作品”は飾ります

上手に描いてあると（ほとんど母の好みで、“まる”だけでもほめてもらえます)、壁に貼ります。あまり貼る絵が変わらないと、私の方から催促して描いてもらったり。

中村洋子(息子12歳、10歳、2歳　娘7歳)

壁に貼って楽しんでいたら、少し大きくなってからは、自分で貼ってお話をつくって遊んでいます。虹の絵を切りぬいて、汽車を折り紙で折って「汽車が虹のトンネルをぬけて行きます」。　久保田愛子(娘6歳、3歳、11か月)

描いた絵を切り抜き、裏に割箸の持ち手をセロハンテープでつけ、人形芝居。影絵にも。

こんな〝コトバ〟をひろってみたら

とにかく

とにかく〝だっこ〟なので困った。「ハナちゃんの足、神さまからよい足もらったのに、使わないならほしい人にあげてしまっていい？」と言うと「いいもん」。動物園に行くと「ワーイワーイ」と走り回る。親がゆったりした気でいると、子どもも楽しく運動できるようだ。

国重英恵　2歳5か月

何でも兄のすること、持っている物はめずらしく、すぐに同じようにやってみたくなる。少しむずかしそうでもできるような気がするのか、とにかく一度は自分でやってみて、できないときは父母か兄に頼む。

浦田愛美子　2歳10か月

とにかく、どうしたことかと情けなくなるほど、めちゃくちゃになってきた。母「赤さくらんぼ（着色）は毒よ」ゆたか「毒でもいいから食べる！」母「パンツ、前と後ろ反対よ」ゆたか「反対じゃない、これでいいの！」大暴れ。母「上手に、顔洗えたね」ゆたか「上手じゃない！」ジャンプして暴れる。自我の芽生えと喜ぶべきなのだが、素直に言うことを聞いていた頃がなつかしい…。

山田雄高　3歳1か月

「おかあさんが○○したいからだ」「おかあさんずるい」。とにかく、他人がわるいことにしたいようだ。これも心の成長の一過程なのか。ここで止まらないよう、親自身の生活態度に気をつけたいと思う。

中村克久　4歳

…まいったナ

うそのよう

今月から定期的にベビーシッターを頼み、萌をみてもらうようになったら、ママべったりでなくなる。人見知りもしなくなり、アメリカ人でもこわがらなくなる。彼女が成長したような気がする。友人宅に遊びに連れて行っても泣かず、先月まで私に張りついて泣いていたのが、うそのよう。

小野寺　萌　1歳7か月

ずいぶん友だちと遊ぶことができるようになった。オニごっこやかくれんぼ、電車ごっこなどをして公園を走り回る。遊べなくてヒイヒイと母にかじりついていたのがうそのよう。

川原茉莉　2歳9か月

朝から機嫌がわるいのは、弟の方を先に着替えさせたり、食べさせたりするのがいけなかったらしい。食事が待ちきれない弟を優先させていたが、何ごとも姉を先にすると、スムーズにいくようになる。小さなことでも、ちょっと気をつけてみると、これまでのトラブルがうそのようになくなることを実感した。

岸本乃芙子　2歳10か月

3歳すぎてから、むくむくと〝子ども〟に興味がわいてきたようす。友だちがいるとべそをかいて逃げ回ったのがうそのように、自分から求めていく。はじめての子にも「いっしょに遊ぼう」と言って寄っていく。

渡部幸子　3歳3か月

こんなに変わる！

まねる・見立てる
現実と想像と…

おとながおもしろく何かをやる熱気が、子どもにもやりたい気持ちをおこさせる。台所やふろ場はおとなの仕事場であり、子どもの遊びの場でもある。子どもにもできそうなことを選んで一緒にやると、仕事も遊びとなり、遊びも仕事となる。

子どもは具体的な物を操作しながら、イメージや想像の世界に遊ぶ。ままごと遊びの中で、ある子どもは、赤い実や、紅葉した木の葉、細い枝などの美的な配置に専念し、あるいは容器や箱の内部を楽しみ、ある子どもは友だちとの会話ややりとりを楽しんでいる。

子どもは遊びの中で、一人ひとり独自な世界をつくっている。

「まね」から「ごっこ」遊びへ

頭にくしをあててみたり、おじぎをしたり。やがて手を口にあてて笑ったり、お茶を飲んでひと息入れるふりをしたり…。子どものまねには、一番身近なお父さんやお母さんの姿が表れていて、見ていても本当に楽しいもの。ときどきはっとさせられますが。

●子どもにとって、おとなの世界は魅力に満ちているようです。おとなが毎日する仕事は、きっとおもしろいことにちがいないと思うのでしょうか。その気持ちが、子どもたちにおとなの仕事のまねをさせます。

一歳前頃には、まわりの人のまねをし始める姿が、たくさんの記録に表れます。やがて親の仕草まで細かく観察してはまね、苦笑させられることもあるでしょう。

まねることは、さまざまな遊びにつながり、道具を使いこなしたり、生活の幅をひろげていく力となります。

一歳半頃になると、円筒形の積み木をコップに見立てて飲むまねをしたり、直方体の積み木を受話器のように耳にあてて話したりと、物を別の物に見立てて遊んでいます。砂のプリンを「どうぞ」と持ってきたりするでしょう。目の前にないものを、想像力を使ってイメージする力が育ってきたのです。

●ごっこ遊びは、はじめはお母さんに相手を求めてくることが多いのですが、やがて友だちや人形を相手に役割分担を決め、複雑に豊かに展開していきます。いつも自分がしてもらっているように、やさしく赤ちゃんを寝かせたり、お父さんを送り出したり。ときにはお母さんそっくりの口調で叱りつけたりしている姿が成長記録にも見られます。

エプロンをしたり、鞄を持ったり、お姫さま役なら布を被ったりなどの扮装をすると、いっそうそのつもりになって、役になりきって遊びます。また、買いものごっこや乗りものごっこは、物を通して他人との関わり方、社会との関わり方を学ぶこと。外の社会に向かって関心がひろがってきたとき盛んになる遊びです。

さまざまなごっこ遊びは、生活体験がもとになっています。自分の受けた喜びも悲しみも、してはいけないことまで、ごっこ遊びの中で再現しているのは、それらを子どもなりに理解し、納得しようとしているのでしょう。

友だちと一緒でもひとりでも、夢中になって遊んでいるときには、お母さんが入ろうとすると子どもにいやがられたり、その遊びがこわれたりすることもあるので気をつけましょう。

まねたり見立てたり

髪を結ぶリボンや、くしを鏡台で見つけると、自分で頭に持っていき、にここ。

阿田川友美　10か月

兄のキックをまねして「キッ!」と言いながら片足を上げたり、兄に「キーック!」とされて「アーン」と泣きまね。もうごっこ遊びをするのかと、母はびっくり。

三階　茜　1歳2か月

ベランダ越しに、上少ししか見えない電車を「エンシャ」といつまでも見ていて行ってしまうと手を振る。夢にも出てくるらしく寝言で「タ」(いっちゃったの意)とため息。細長い積み木、ラップの芯、フライドポテト、スパゲッティの切れ端、何でも「エンシャ」と言って家中押して回る。

竹内黎明　1歳2か月

カスタネットの内側と自分の顔を交互にさわる。母のお化粧のまねらしい。

五明実乃里　1歳4か月

「おちゃちゃ」とままごと道具でお茶を入れるまね。「どうぞ」と出す。おもちゃのコンロの前にすわっていた母は、「危ない」というようなことを言われてつきとばされた。

奥野ゆりか　1歳8か月

父のすることを何でもまねしたがる。ごはんのとき「おかわり、かるく」、食後のつまようじを使うこと、新聞をラックから持ってきてソファーでしかつめらしい顔で読むこと等々…。

中田祐一郎　2歳7か月

コップの上にボールを乗せて「ほら、地球儀ができた」と言ったり、室内のジャングルジムのてっぺんに登って横たわり、足をバタバタとしてみせ「こいのぼりですよ」と言ったり。おとなはびっくり。

小山さらさ　2歳8か月

ブロックの黄、白、青、緑をたてに重ね、「月の砂漠みたい」。歌の内容を母から聞き、月に照らされた砂漠の世界を自分なりにイメージ。

丸山志保　2歳10か月

お母さんの工夫

パパ作おもちゃ3点

その1　メガネ　母親の私のまねをしたがり困るので、シャツやパンツの台紙くらいの厚さのもので。

その2　うそギター　パンフレットのギターで子どもが「いい」と言ったのを切り抜き、いらない箱などの厚紙に貼る。

その3　カメラ　石けんなどの空容器を布製ガムテープでくるんで丈夫にし、フィルムケースの蓋をボンドで貼り、レンズに見立てる。カセットやビデオテープの余っているシールをカメラらしく貼る。子どもが持ちやすい大きさだ。

安斉光子(娘2歳)

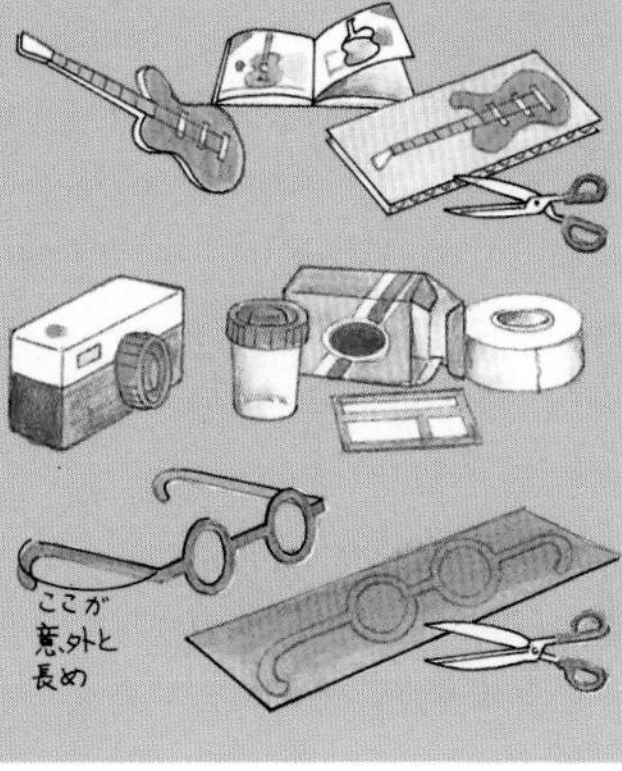

階段にスリッパ片方と靴べら。「こんなところに置いて、もとにもどしてきて」と言うと、理絵が「でもお、これ、バイオリンなの」。何だか母も楽しくなって「そうか、じゃ、バイオリンここに置いとこう」。

馬場理絵　2歳11か月

寝ても覚めても頭の中はピーターパンでいっぱい。夕方ライトをつけて自転車に乗っていると、「あ、ティンカーベルがいるよ」。見ると、ライトがぼんやりした楕円形の光となって、チロチロと動いている。暗くなってからの帰宅も、ティンカーベルに先導されると楽しい。

佐光存人　3歳1か月

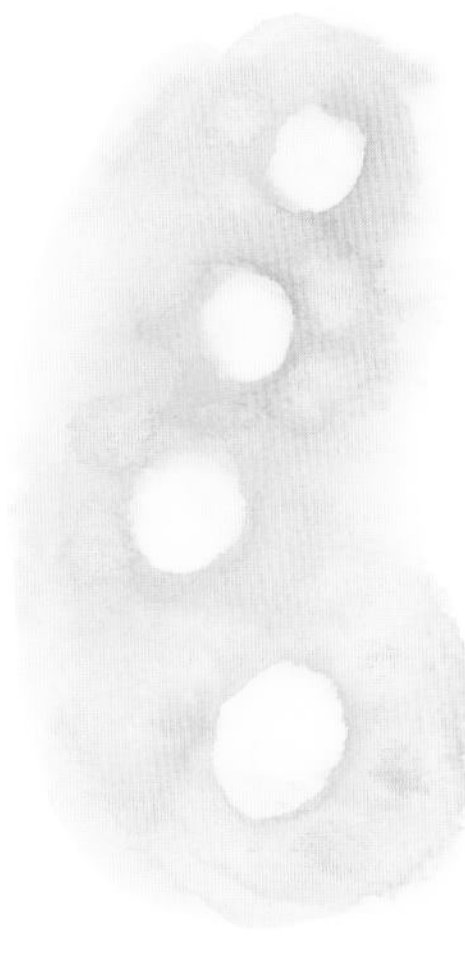

おうちをつくって

布団をしいた後の空っぽの押し入れの上段が由希のおうち。ミッキーやプーさんを招いて、ごはんをごちそうし、寝かせている。

梶浦由希　2歳4か月

5歳のいとことテーブルの下で遊ぶ。座布団、積み木、ぬいぐるみなど持ってきてとても楽しそう。「おかあちゃんも入って」と言うので少しの間一緒にもぐっていたら、何だかまるでちがう世界のよう。子どもの頃のわくわくする気分がよみがえってきた。

浦川清美　2歳5か月

保育所の休みにダンボール箱でおうちをつくる。屋根の片面には海、もう片面は陸のものの折り紙をいっぱい貼りつける。入り口、窓、水道もポストもつくって、1日中住んでにこにこ。

本田俊太郎　3歳11か月

ごっこ遊びに夢中

お店屋さんごっこがお気に入り。和「いらっしゃいませー。なんですか」母「タマネギください」和「ありませーん」自分が嫌いな物は売ってくれない。

黒安和奏　2歳4か月

女の子の家で〝ままごと遊び〟をしてから、鍋つかみや泡立て器、鍋などを使って遊ぶようになる。感心したのは、円柱形の積み木を転がして「パン焼きまーす」。私のようすをよく観察しているのだなあ。

西村健介　2歳11か月

つもりの世界で

二村　萌さんの成長記録から

1歳3か月　パンの絵の描いてあるカードで食べるまねをしたり、お人形さんに〝どうぞ〟をして食べさせたり、はじめてのごっこ遊び。

1歳10か月　お椀やお箸を持ってきて、ティッシュをちぎったり、碁石を入れてごはんやおつゆにする。何だかわけのわからないジェスチャーをしたりするので、萌なりのつもりの世界があるのだろうなと思う。親がぬいぐるみをしゃべらせたり、動かしたりするのを喜ぶ。

2歳8か月　空想のおしゃべり（いろんな動物が出てきて、お料理したりする）が気に入って、気分がのると、ずっとその世界に入ってしまう。

3歳4か月　くしゃっと置いた服を寝ながら見て、「カエルさんみたい」とわざわざ近寄って見る。母親も同じ位置から見るが、はっきりわからない。子どもの目っておもしろいなあ。

3歳5か月　細かいことまで興味をもち、まねしている。図書館ごっこと言って、数冊の絵本の裏表紙にスタンプを押すまねをしたり、袋をかついで芋掘りごっこ（母親が学校で芋掘り遠足に行ったので）。おふろごっこ、ホテルごっこ、お医者さんごっこなどいろんなものに変身している。

不動産屋ごっこ。帰国後ずっと家さがしをしていたので、パラパラとアドレス帳をめくり、「どっちがいいですか、それじゃ、ちょっと見てみますか？」と鍵を持って家を案内するまね。体験したことがそのまま遊びになる。　三宅真生　3歳

お人形さんもまじえてごっこ遊びが大好き。母親になり、母(私)と世間話。「お宅はお子さん、何人ですか」香菜子「イヌやらネコやらクマもいて、たくさんで毎日大変なんですよ。あら、そろそろミルクの時間だわ」。　夏目香菜子　3歳7か月

おもちゃのお金を使ってお店屋さんごっこ。「だれか買ってください」と相手をしてくれるまで言い続ける。買ってくれた人には、お金をつけて渡しているのがおもしろい。　半田悠人　3歳9か月

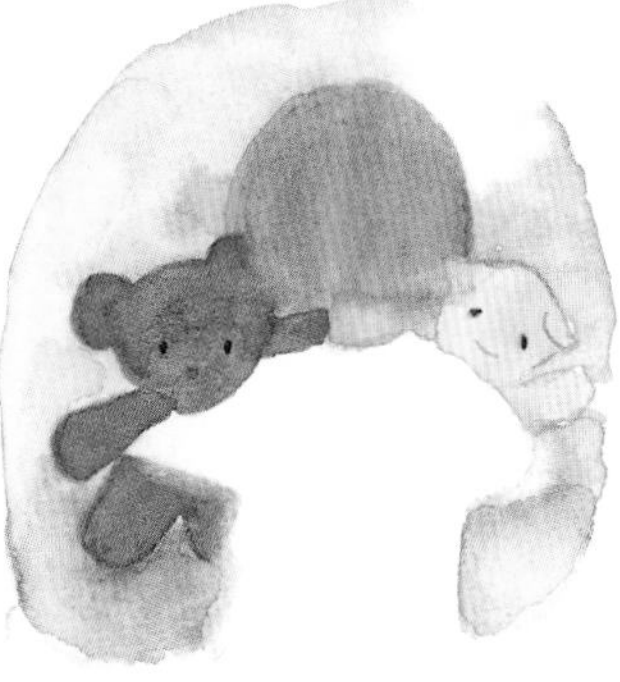

一泊旅行の後、何度も「たのしかったなあ」と言う。そして、おもちゃの自動車に乗り、旅館のパンフレット片手に「これから大洗にいくの。ちずを見ながらいくんだー。これには右に曲がるのか、左に曲がるのか、前にいくのか、後ろにいくのか書いてあるんだ」と言って遊ぶ。　影山拓樹　4歳

家の中でキャンプごっこも

山下　純くんの成長記録から

1歳10か月　ぬいぐるみが大好きで、寝かせたり食べさせたりと、いろいろ世話をする。少し泣き顔に見える人形があると「チャーチャン（お母さん）、イナイッテ、エーンエーンシテルヨ」と言って純も泣くまね。心の中を想像することができるのかな？

2歳5か月　買いものごっこ、ままごとなど「ごっこ遊び」が好き。母や人形を相手にゴチャゴチャしゃべりながらやっている。スーパーでは、自分の菓子は自分の財布からお金を出して買いたがる。

3歳10か月　ひと部屋をキャンプ場に見立て、みんなでリュックを背負い、おもちゃや家具まで何かに見立てて持ち込む。お母さん役やお兄さん役など役割分担も。純も喜んで役になりきって遊んでいる。

お母さんの工夫

つくってよかった　おもちゃ

ままごと用野菜・果もの　フェルトを使ってバナナをつくり（中に入れたのは古いストッキング）、マジックテープで房をつけたりはずしたりできるようにしたのが始め。子どものリクエストに応えてイチゴ、ナス、ジャガイモ、目玉焼き、ホットケーキ、ニンジン、インゲン、シイタケ、大根、トウモロコシ、サヤ豆、おにぎり、とたくさんの種類になった。

小山さとみ（娘3歳　息子5か月）

みんなで一緒に遊べるものを　きょうだいや友だちで一緒に使えるものを手づくりしました。これがいいなと思ったら、ていねいに時間をかけられなくても、子どもの欲しいそのとき、与えてやれるように心がけました。

広瀬紀代子（息子7歳　娘5歳、4歳）

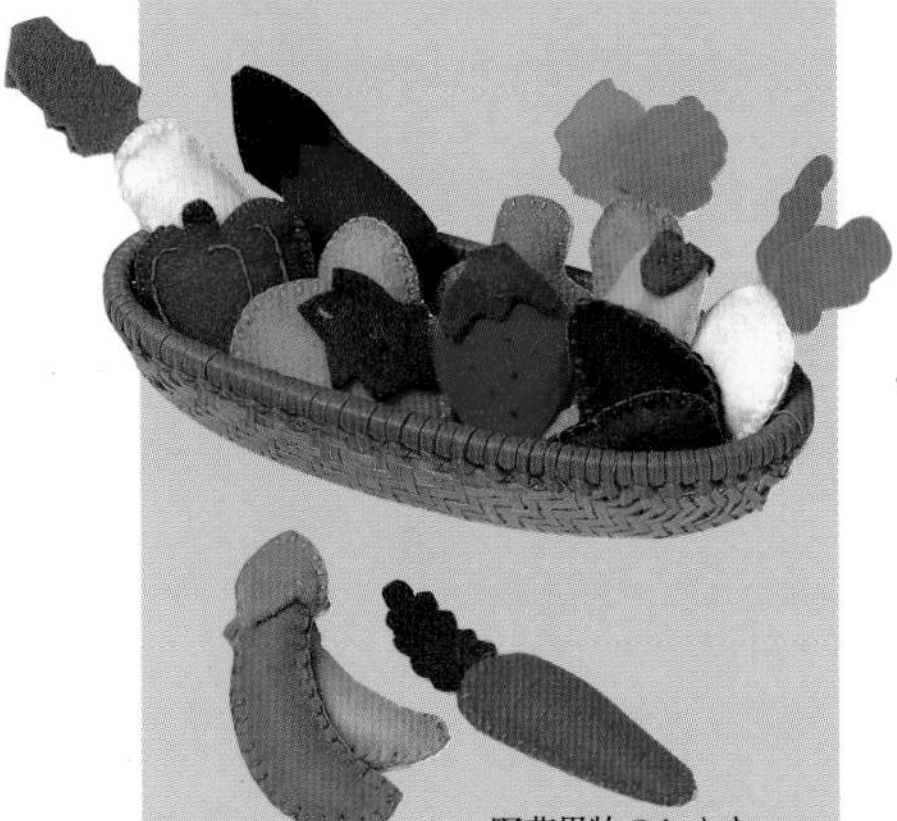

野菜果物のおもちゃ
東京第一友の会作

空想の世界 人形遊び

人形を、大事そうにタオルにくるんでだっこして、お母さんになりきって遊ぶ姿。小さな胸に夢や願いがふくらんで、だれも入れない子どもひとりのひみつの世界ができることも…。

●ことばがほぼ自由に使えるようになる2歳後半は、想像力を大きくふくらませて動物と話したり、イマジネーションの世界をことばでおとなに伝えます。成長記録にも見られるように、自分を別名で呼ばせて赤ちゃんやお姉ちゃんを演じたり、想像上の友だちが登場することもあります。それは、理想の自分、あるいは逆にわるい子や甘えっ子の自分を遊びの中で遠慮なく出すことで、現実の世界を確かめていく姿なのでしょう。

●1歳頃から人形やぬいぐるみに頬ずりしたり、かわいがる仕草を見せます。人形と一緒ならひとりで眠れたり、叱られたときに抱きしめて泣いたりもしているでしょう。人はたくさんのスキンシップを受けながら心身のすこやかな成長をとげていきます。人形も子どもの心をなぐさめ、自立していくための助け手になります。また手ざわりのよさや、かわいらしさなどの感覚的な心地よさは、やさしい感情を育て、美しいものへの憧れとなることでしょう。

人間の心の中には、ドラマティックで激しい部分があります。怪獣やロボットなどを闘わせるのは、そうした心をわき立たせ、ゆり動かす遊びなのでしょう。

ごっこ遊びをさかんにする頃には、人形を相手に、今、自分の心を占めていることが遊びに現れています。ことばや生活習慣、興味をもっていること、そしてさまざまな感情などを、人形遊びを通して反復し、学んでいるようです。

こうした遊びで育くまれた想像力は、「発想の豊かさを育て、人の立場を多少なりとも理解する力となり、やがては人の心を思いやる心、客観性を身につけて、自分の世界観をもったおとなに育っていく（秋山さと子氏 心理学者）」のです。

ぬいぐるみやロボットと

人形を寝かしつけたり、だっこしたりして、大事そうに遊ぶ。つい半年くらい前までは、自分がされていたことなのに、不思議さとおかしさを感じ、心が温かくなる。

宗 若奈 1歳7か月

ロボットを闘わせる。怪獣とウルトラマンだったり。「どっち」と聞きながら、母が本人の好きなほうを選ぼうとすると「ママこっち」。

川俣僚平 2歳5か月

ぬいぐるみを「お友だちみんな」と称して、大きいのから手のひらサイズまで全部出し、テーブルの下など、ちょっと死角になったところに全員集めては「お姉ちゃんが今、お食事をあげますからね」とか毛布をかけたり寝かせたり、ごっこ遊びにふけっている。

谷口菜々子　2歳11か月

想像がひろがって…

反抗期に近づいてきて、自分とは反対の「わるいケロチャン」が登場する。「ごはんおいしい？」と聞くと、「ケロはおいしくないんだって。萌ちゃんはおいしいよ」という具合。

齋藤　萌　2歳6か月

「クリスマスプレゼントは、クレヨンパーティーがほしいの。ロウソクみたいに立ててパーッとやると、キラキラってきれいなんだー」何のことだかわからず親は困るのだが、イメージをずいぶん表現できるようになってきた。

寺尾琴恵　3歳6か月

「大きくなったら白いチョウチョになって空をとぶ」のが夢。今から畳の上でとぶ練習。意を決してこたつの上からとび下り「すごいでしょ」「だって、チョウチョになるんだもん、あたりまえじゃない」。

篠原みずき　3歳7か月

人形に心を託して
岸本乃芙子さんの成長記録から

1歳9か月　母が弟を抱いているので、自分はキューピーを抱いて母と同じようにしている。タオルをおくるみにして体に巻きつけ（うまくできないと泣く）、だっこしてゆすりあげたり、背中をトントンしたり話しかけたり、まるで鏡を見ているよう。

2歳10か月　自分の体験を、キューピーがしたことのように話す。お医者さんで泣いたことや、友だちと遊んだことなど、おとなが困ったときのような口調で。

3歳　キューピーが要求すること、していることは、自分が要求していることであり、やっていること。「キューピーがね、おしっこいやだっていうのよ。お姉ちゃんでしょ、パンツいらないの？っていったらね、いやだーってなくのよ」。

お母さんの工夫

かんたん人形

“この指パパ”　軍手にストッキングをつめ、指先を輪ゴムでしばり、フェルトペンで顔を描く。これを使って“この指パパ”などの遊びをします。

吉田晶子（息子２歳）

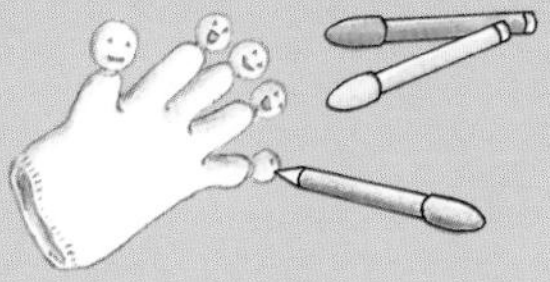

フェルトで人気キャラクター　アンパンマン、ドキンちゃん、バイキンマンの人形をつくりました。大きなフェルトで形を切り抜き、２枚を重ねて中に綿をはさみ、縫い合わせるだけ。平べったい形ですが、30cmくらいあるので、子どもたちは大喜びでした。

鈴木智子（娘６歳、５歳、２歳）

ミトンがおしゃべり　何でもない鍋つかみのミトンも、はめ方、使い方で口が動いているようになります。食事の用意や後片づけをしているとき、このミトンを使って「危ないぞー」と言うと効果ありで、逃げて行ったりします。

寺上節子（娘１歳）

ミトンを使ってお話

いろんな世界に!

“衣装”はおしみなく貸す

まね遊びは大好きで、結婚式ごっこ、エレベーターガールさんのデパートごっこ、レジごっこ、何でも遊びに入ってきます。そのために必要な洋服類は必ずもとどおりに片づける約束で、おしみなく山盛り貸し与えます。

久保田愛子(娘6歳、3歳、11か月)

わたしもお弁当づくり

お弁当の中身をフェルトでつくる。　原　淳子(娘2歳)

母が台所仕事をしていると、自分のおままごとセットを出してきてまねしています。

和食由美(娘2歳)

整理箱は救急車

キャスターつきの整理箱の上に人形を乗せ、お医者さんごっこの救急車。男物のワイシャツの袖を切って白衣にするとその気に。

菊井真理(娘3歳)

開店“髪の毛屋さん”

今熱中しているのは髪の毛屋さん! 毛糸を30cmくらいの長さに束ねて、それを頭の上に乗せるという遊び。いろんな色の毛糸でつくり、お盆に乗せて売っている。3歳のゆりえはもっぱら買う人の役。　安田由美子(娘7歳、6歳、3歳)

まねて見立てて

ふろしき１枚で

ふろしきを化粧まわしにしておすもうさん。チョウチョになったり、ハメハメハ大王（腰の横でしばる）になったり、スーパーマンになったり。　吉田晶子(息子２歳)

ふろしき１枚でドロボーさんになったり、忍者になったり、アンパンマンになったり。変身できて楽しいようです。

高橋倫恵(息子３歳)

ぼくはピーターパン

３歳半の頃、ビデオを見て、すっかりピーターパンに夢中。短い剣をつくり、ひもで腰から下げる。夫が片手にＳ字フックをもってフック船長になり、戦いごっこをして遊んだ。

坂本美枝子(息子５歳、２歳)

よろい、かぶとで“つよい人”

新聞紙で服をつくったら大喜びしました。わきをテープでとめたスカート、首が出せるように丸く穴をあけた上着をつくり、かぶとを折り、このセットですっかり“つよい人”になった気分。　諸隈洋子(息子３歳)

ダンボールは魔法の箱

押し入れのおうち
すみっこが好き。押し入れの下段に入り込み、ふすまを開け閉めして、おうちごっこ。からっぽにしておかねばならず、上の２段がギューギューづめ。
菊井真理(娘３歳)

おはやしに合わせてパックン
ダンボールでお獅子パックンをつくる。お祭りがあり、それがとってても楽しかったようだ。おはやし（カンや机などたたいて）をしてやると、それにあわせて踊る。同じようにダンボールで工事車の形をつくる。
林　二美(息子３歳、１歳)

ロボット　ガオ〜！
はさみやカッターを使い、ロボットやよろいをつくりました。　杉山玲子(息子10歳、３歳)

ダンボールのおうちを行き来
大きなダンボール箱があるときは、しばらくダンボールの中で遊ばせます。そうすると「おうちにしたい、車にしたい」などの意見が出るので、イメージに近くなるよう飾りつけます。２～３個のおうちをつくると、また遊びがひろがり、それぞれの家を行き来して会話もはずみます。
福地明子(娘６歳、３歳)

バスの運転手に！
大きいダンボールでバスをつくったらとても喜びました。ドアのところをあけて、ハンドル型の丸いダンボールをつけただけのものですが。　佐々木左江子(娘９歳、３歳)

雨の日は大活躍
ダンボールが一つあれば、車になったり、ベッドになったり、おうちになったり。そのときの遊びによって使いみちいろいろで、雨の日などあきないで遊びました。　池川陽子(息子８歳、６歳、２歳)

ひもをつけて　そり!?

ダンボールの箱に、クマの絵のついた赤い布を貼り、太いひもをつけて引っぱれるようにしたら大喜び。箱の中にチョコンとすわったり、自分でズルズル押したり、引っぱったり、箱の中にお人形を入れたり。

井田万希(息子１歳)

おてつだい

何でもしてみたい子どもたち。
おとなと同じ道具、本物の卵や野菜を使って、割ったり切ったり並べたり。
いそいそ、いきいきおてつだいします。

●何でも遊びにしてしまう子どもにとっては、毎日の〝家事〟も楽しい遊びです。まして本物の火や水、食物、おとなと同じ道具を使うのですから、緊張して挑戦することになります。本物にぶつかることは、子どもにとって勢いのあるおもしろい遊びでしょう。それがしぜんに生活力を育て、学ぶ姿勢を育てることにもつながるのです。

子どもが「やらせて」と、興味をもって寄ってきたときは、できるだけ〝家事〟に参加させてあげましょう。

●子どものおてつだいは、じゃまになることの方が多いかもしれません。しかし、ていねいに教えれば、思いのほかすぐにできるようになります。日頃から家事を、子どもと一緒にできることと、できないことに分けて考えておくと、昼寝の間にしてしまう家事などの予定も立てられ、ゆとりをもって、子どものペースに合わせることができるでしょう。

踏み台を用意したり、汚れてもいいように床にシートをしいたり、親も楽しみながら、子どもの力を充分に引き出しましょう。こうした努力は、子どもと一緒に暮らす知恵や心構えを培うことにもなります。

また、おてつだいは大好きなお母さんやお父さんの仕事を助けること。結果はともかく「ありがとう」のひとことが、自分の力が役立ったという確認になり、うれしくなって、またしようという気持ちを育てます。

たくさんの〝やってみたい〟

乾いた洗濯物の山の中から自分のスモックをとり、たんすに向かってはいはい。自分でしまおうというわけ。いつの間に覚えたのと、びっくり。　反田秋穂　1歳

蚊とり線香に火をつけたい、包丁で野菜を切りたい、アイロンがけをしたい。こんなにたくさんの〝やってみたい〟の気持ちを、危ないからと禁止してしまわずに、注意点を話して一緒にやった。本人は大満足。　出口淑人　1歳11か月

掃除が好きで玄関の掃き掃除、ダスキンがけ、おふろの掃除など、母（父）が始めると自分もやると言ってきかない。おもちゃの棚などにほこりを見つけると、「おそうじ、おそうじ」とハンディモップを持ってくる。　中村謙吾　2歳3か月

食事の後片づけを（流し台へ置くだけだが）しないと気がすまない。教えたつもりはなかったが、いいことだと思っていたら、外食したお店の片づけもすると言って号泣！　西村健介　2歳5か月

洗濯が終わると公園、という見通しがもて、おてつだいする。洗濯ハンガーをたんすの取っ手に引っかけて、ズボンをとめている。いたずらと思い叱ると「洗濯しようと思ったの」と泣くので、母は反省。たこ踊りのように干すので「足のところをつるしてね」と言うと、次から上手につるす。　金子悠香　3歳

庭のシソを料理に使うので「5、6枚とってきて」と頼むと数分後「ママー、ちょっとドロドロになってごめんなさい」と言いながら、シソを5、6本根こそぎとってくる。「助かった。ありがとう」と言わざるを得なかったが、本人は満足なようす。　垣原愛美　3歳3か月

本当によくおてつだいをしてくれた。まずはお茶摘み、大きなかごを腰につけて新芽を摘む。野菜の植えつけでは穴をあけ、苗を置き、土をかけ「おかあさん助かる？　おかあさんが働いとるんじゃもん、ボクも働く！」。田植えでは苗をはこんで植えてみる。やりたいと言ったことはおとなと一緒にやってみて、できる自信をつけた。　早副　翔　3歳11か月

お料理もできる！

エンドウ豆をさやから出して、豆はざるの中に、さやはボールに入れる。小さな指が器用に上手に動き、真剣な姿に母は感心する。「泰彦がてつだったお豆のごはんだよ」とみんなでおいしくいただく。　畔上泰彦　1歳9か月

ポテトサラダをつくるとき、マヨネーズを入れて混ぜるのを一緒にして味見をした。今まで食べなかったのにペロリと食べ、びっくり。　山村弘樹　2歳

テレビの『新・ひとりでできるもん』のまいちゃんたちの影響は大きかった。

じつに自信に満ちて

安斉美穂子さんの成長記録から

2歳7か月　台所の流しの前に椅子を置いて届くようにすると皿洗い、米とぎなど喜んでやっている。もちろん時間とこちらの手間もかかるが。灯油を買いに行くときに、空容器を一つは自分が持つと言い、階段をドトンコードトンコー鳴らして持って下り、駐車場までを両手であごまで持ち上げて運びきった。

3歳1か月　「ギョーザつくり」はどうかと誘うと大喜び！　皮の上に具を乗せてから、肉がはみ出ないように合わせるところまではかなりていねいに、その後は、よくまとめられないので寄り合わせて、シューマイのようなオチョボ菓子のような形のをたくさんつくってくれた。

3歳2か月　おてつだいが大好き！　かつ「おかあさん、遊ぼう」のどちらか…で家事抜きに遊べないので、玄関掃き、布団叩き、皿洗い、肉・白玉だんごつくり、ドレッシングかき混ぜ…やれそうなことは頼むようにした。散らかってしまうが本人はじつに自信に満ちあふれた表情をしており、それを見ると怒れない。

3歳5か月　朝、窓のカーテンを開けて、ベルトでまとめてから起きてくる。やってあったのを母が認めると、さぞ誇らしげで「おとなだぞ！」という顔。

皮むき器でジャガイモの皮をむく、エンドウのすじをとる、包丁でニンジンを切る。ちょっとけがもしたけれど、一生懸命。

田中かおり　2歳8か月

兄や姉とパンつくり。ドンとのばして、たたんで。発酵してふかふかの生地が大好き。そうして待ちに待った成形、思い思いの形をつくる。兄がオーブンの秒を読み、ほかほか焼けるのをみんなで見ていたり…。天気がわるく外に出られないときは、パンつくりに精を出す。

前川早優理　3歳1か月

タマネギの皮むきだけでは満足せず、ピーラーでニンジン、ジャガイモの皮をむく。ずいぶん形が変わって仕上がるが、大満足。一度手を切ってから、むき方も慎重になる。

中村俊亮　3歳3か月

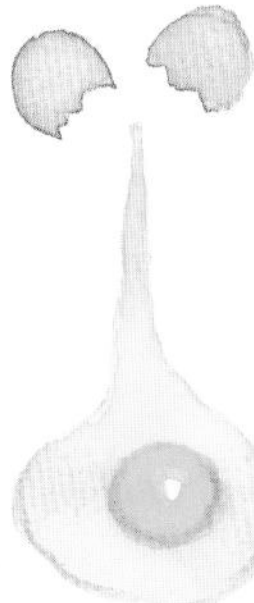

卵を上手に割れるようになった！

夏目香菜子　3歳4か月

誕生日パーティーの前の晩、せっせと母の言いつけに従い、片づけ、掃除をし、ケーキつくりに励んだ。オーブンを使わないケーキにしたので、全過程を母とできたことがとてもうれしかったようだ。

フロイランまな　4歳

“自分でつくる”とよく食べる

笹山隼人くんの成長記録から

2歳5か月　おてつだいがしたく、何でもしてくれます。「お箸と箸置きを並べてね」と引き出しを一段低いところへ変えました。新聞とりも重要な仕事に。

2歳7か月　食後の洗いもの。すすぎは隼人の仕事にして、ふたり並んでします。どれだけ気をつけても、服は下着までベッタンコに。

3歳3か月　洗濯物をたたむことに興味をもつ。タオルなら何とか二つに。

3歳6か月　料理にめざめる。タマネギを炒めるのが遊び感覚なので、ニンジン、挽き肉、タマネギのみじん切りを大量に炒めさせ、一回分ずつラップに包んで冷凍。スパゲッティ、コロッケなど、自分でつくったという気持ちでよく食べます。

お母さんの工夫

子どもエプロン

エプロンつけると気分もちがう　おてつだいはそのときによっていろいろですが、3人ともエプロンをつけると、気分がちがうようです。

池川陽子（息子8歳、6歳、2歳）

簡単なエプロンのつくり方

用意するもの

45cm × 45cmの布

糸

ひも 135cm

● 大判ハンカチやナフキンならばひも通しをつくるだけ！

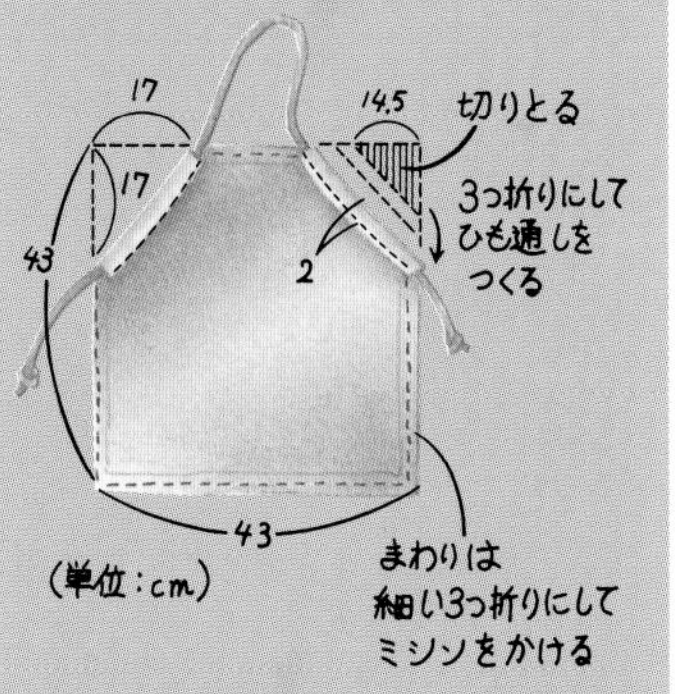

17
17
14.5
切りとる
3つ折りにして
ひも通しを
つくる
43
2
43
まわりは
細い3つ折りにして
ミシンをかける
（単位：cm）

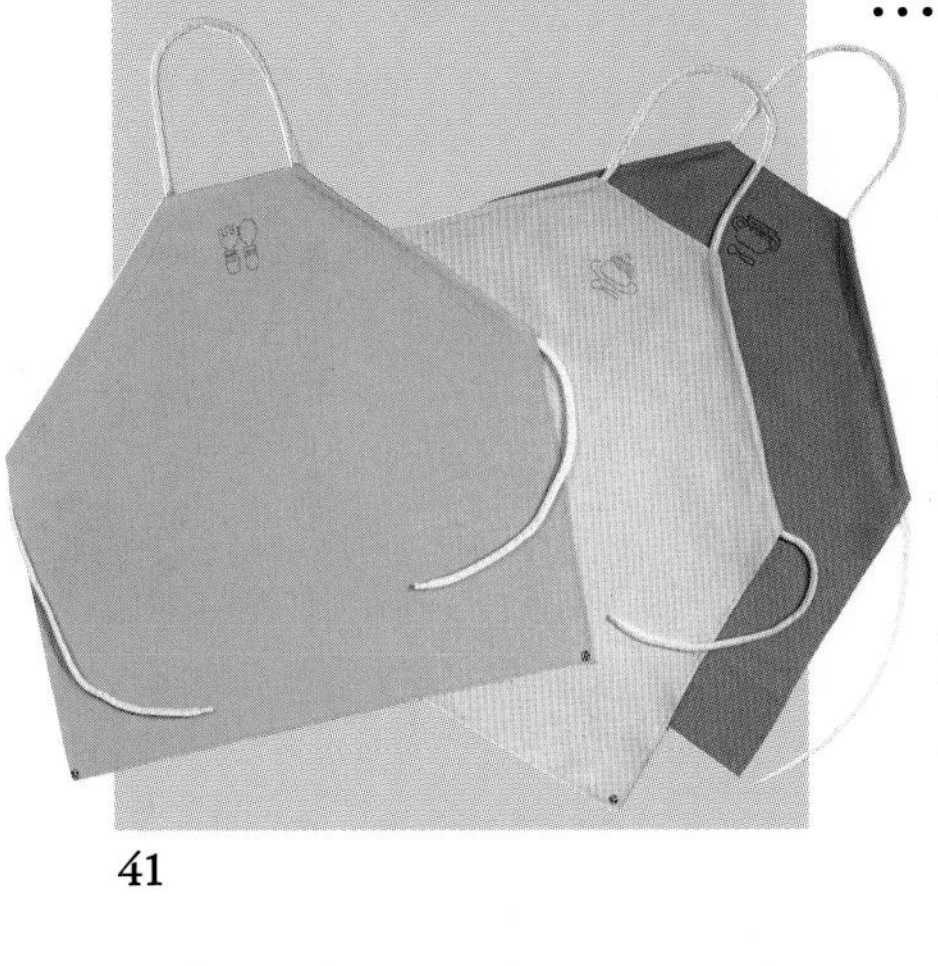

こんな〝コトバ〟をひろってみたら

いつの間に・どこで

ある朝食のとき、突然「どんぐりころころ…」と歌い始める。父は「おい亮輔、今どんぐりころころ歌えたな？」母「いつの間に覚えたんだろう」。ことばがおそいとヤキモキしていたのに、しゃべり出したら二語文、三語文、おちゃのこさいさいで、どこにそんなにかくしていたのという感じ。

高木亮輔　2歳7か月

鼻歌まじりに家事をする母に「おかあさん！何だかウキウキしてるんじゃない？」などと、どこで覚えたのかと思うようなことを言う。「おかあさん、言いたいことがあるの。ニコニコおかあさんが好きだから、怒らないでね」。これまで一方的にこちらが言うばかりだったのに、思わずハッとする。

磯輪ひとみ　2歳9か月

大きなイヌに出会った。一瞬驚き、距離をおいてから、おもむろに持っていたビデオテープを差し出し「ビデオ、いーやろー」とイヌに自慢している。(自慢することをいつの間に覚えたのだろう？)

倉林沙樹　3歳6か月

頭ごなしに怒ったとき「ママは翔君の気持ち考えたことある？」と泣きながら言われてびっくり。どこでそんなことばを覚えたのだろう。意味も理解した上で言っているのだろうか…。最近おとなが使うことばをときどき使うようになり、あれっと思うことがある。

堀　翔一朗　3歳8か月

ちょっとびっくり

つい

テレビの『おかあさんといっしょ』を見ているとおとなしいので、食事のときもつい見ながら食べさせていたが、集中力散漫になってもと思い消す。代わりにCDやテープをかけながら、話しかけては食べさせるようにしたら、政伸も母も、ゆったりした気分ですごせるようになった。

今井政伸　1歳1か月

何でも自分でやりたがり、母の心の中で葛藤がある。時間がないときや、忙しいときなど「ママがしてあげる！」とつい言いたくなる。みなさんはどうされているのかしら？

亀井今日子　2歳5か月

以前、遼太郎に何かを聞いて返事をしないとき、つい「聞かれたら返事をしなさいっていってるでしょ」と言うと、しっかり覚えていて、他の人が返事をしないと「返事しなさいっていってるでしょ！」を連発。すっかり使いこなしています。母は自分がまいた種ながら〝しまった…〟と思うのです。

谷地遼太郎　3歳5か月

どもるので悩んでいたが、なおってきた。祖母の入院や、弟の動きも早くなって、ついイライラを春奈に向けていたのでは…と反省。家事はのこしても、まず春奈が甘えられる時間を、と心がけて、それがしだいに長くなって笑顔が多くなった。

高橋春奈　3歳8か月

わかっているけれど…

聞く・見る・うたう
ひびき合う心

木の葉をゆらす風、小鳥の声などの自然の音、台所で母親が野菜をきざむ音、人の歩く音、話し声などの日常生活の音に、子どもは生まれたときから囲まれている。

快いリズムや音楽に子どもが体を動かすときには、一緒に手足を動かしてみよう。子どもの声やことばに耳を傾けよう。そうすると、天体も季節も、家族も自分も、身近な動物もすべてが一緒になって住んでいる子どもの世界を想像することができる。

ことばのやりとりは、気持ちのやりとりと切り離せない。現代の子どもには電話によるコミュニケーションも日常的である。祖父母との電話など、温かい気持ちのやりとりに活用したい。

歌う　音を楽しむ

食事を待つ間の包丁の音、家族が帰ってきたドアの音。よく耳をすませて、風の音、虫の声――。子どもの心が楽しいと、しぜんに口から歌もこぼれます。

●赤ちゃんは、まだ胎内にいる7か月の頃から、さまざまな音や話し声を聞いて育ちます。ですから生まれてすぐでも、親の声や、いつも家庭に流れていた曲など、聞き慣れた音に反応すると言われています。

大きな音にびっくりしたり、声の方に顔を向ける時期を経て、2か月頃には、オルゴールメリーの音ににっこりしたり、やがて、歌やピアノに合わせて歌うかのように声を出し、音を楽しんでいます。

お母さんやお父さんの子守歌は、赤ちゃんの心を安らかにします。音程がはずれるからと歌うことを好まない人もいますが、とらわれずに楽しく歌いましょう。伴奏に合わせたりドレミと音符で歌うわけではありませんし、ただ抑揚をつけて話すのでもよいのです。

●子どもたちは、リズミカルな音が聞こえてくると、それに合わせて歌ったり踊ったりせずにはいられないようです。家中の物を叩いてちがう音が出ることを発見したり、物を落として音を聞いたり、紙をガサガサいわせて楽しんだりします。

1、2歳になると、歌詞を少しずつ覚えて知っているところだけ歌ったり、やがておしゃべりのように作詞作曲、自分のしていることや気分を、歌で表現することもできます。

軽快なリズムの曲、単純な詞とメロディーの童謡など、子どもにわかりやすい音楽を一緒に聞いたり、タンバリンやマラカスなど簡単な楽器で合奏をするのも楽しいでしょう。

●正しい音を聞いて音感がよく身につくのは5歳頃といわれています。けれどもどんなによい曲でもいつも音を流しっぱなしにするのでは、騒音と同じになってしまいます。

おとなも一緒に暮らしの音、自然の音を聞いてみましょう。目を閉じて耳をすませ「どんな音がした?」と、静けさの中で、小さな音を聞き分けて楽しむひとときも大事にしたいものですね。

音楽のおもしろさや喜びとは、子どもにとっても心に楽しい思いがあふれ、歌ったり踊ったりしたくなるような生活の中で味わえるものなのでしょう。

音を聞いて声を出したり踊ったり

授乳後オルゴールメリーが回るのを機嫌よく見つめて、知らぬ間に眠っている。音が止まると「ウーウー」とねじを回すようにと声を出す。　山本沙希　1か月

母が歌う歌の中で〝はとぽっぽ〟と〝桃太郎さん〟が好きらしい。泣いたりぐずったりしているときに、この2曲をリレーで歌うと泣きやんでじっと聞いている。　清野琳太郎　1か月

どしゃ降りの日、機嫌がわるいのでおんぶをしてピアノを弾いたところ「フーン」「フーン」とピアノに合わせるようによい声を出し、しばらくして眠った。　在田　恵　4か月

マンションの玄関ホールで音がひびくのに気づいたのか、通るたびに「アー」「アーッ」と声を出して、エコーがかかるのを確かめる。楽しそうだが、母は少し恥ずかしくて足早に。　高橋　慧　8か月

歌を歌ってあげるととても喜び、手を振ったり体をゆらしたりしながら、一緒になって楽しむ。とくにテンポのよい歌が好きで、喜ぶ泰太郎を見ながら歌っていると、こちらもとても楽しい。　松谷泰太郎　9か月

テレビ体操を母がすると、自分も喜んで体をゆすり、おしりを上下させる。母と画面を交互に見ながらにこにこ。しまいには拍手までしてくれ、母は照れる。音楽を聞くとしぜんに体が動くようだ。　丹羽　希　1歳

誕生祝いにいただいた木琴。なかなかバチで叩けなかったが、10日ほどしてやっとできる。簡単な動作と思ったが意外にむずかしかった。本人も大喜び。　工藤靖樹　1歳

手遊び歌がお気に入り。手でお花の形がつくれるようになり、うれしくて「み

お母さんの工夫

リトミックや〝ディスコ〟で楽しく

ウサギさんになった！　幼児用の指導テープをたよりに、リトミックをやってみたら、母と一緒に魚になって泳ぐとか、ウサギさんになってぴょんぴょんとぶとか、ひざの上に乗ってボートこぎとか、体をふれ合ってすることがたくさんあり、大喜び。「ママのおひざへ乗りましょう」の曲で始まって、ちょうど下の子が生まれて甘えたい時期と重なったせいもあり、「ママのおひざへをやろうよ」と言って、スキンシップにもとてもよいことでした。ほかにも「チョウチョになろう！」「ここは海の底、ママはワカメでユラユラ、萌ちゃんはイワシ。萌が急に「アッ信号が見えてきた」と言いだして、おもしろくなることもしばしば。

二村寛子（娘2歳、3か月）

冬の夜に　寒い季節は親子ともども、外に出られなくてストレスがたまりがち。夕食後、夫もまじって好きな曲をかけて“家庭内ディスコ”。本当はディスコに行ったことはないのですが、家族だとあまり恥ずかしくないし、15分も踊っていると、汗ばむほどです。

坂本美枝子（息子5歳　娘2歳）

ここは海の底、お魚になって

てみて」と言ってくる。

梨岡　友　1歳10か月

童謡のカセットに夢中。朝起きるとすぐ「おうた、おうた」とせがむ。調子のよいリズムに合わせてくるくる踊る。好きな歌は前奏のうちから「きんぎょ」「ぞうさん」と言ってそわそわして待つ。

飯沼紗央理　1歳11か月

音楽に合わせ体を動かす。ある音楽からは、料理をつくるようすをイメージするらしく、その曲が鳴り出すと「きょうはごはんとお汁です」と言って、料理のまねをする。

六嘉美希　2歳

お祭りが大好き。お祭りの音楽や太鼓の音を聞くだけで、ウキウキ気分。「いこー、いこー」と何度も行く。1日目、雨にもかかわらず、カッパを着て長ぐつをはいて行き「楽しかった」と大満足。2日目、おみこしを見て、かつぎたいと泣き、盆踊りはとても喜んで踊る。

山村みなみ　2歳9か月

アンパンマンのテーマ曲が大好き。運動会のときに使っていたらしく「はい、A組さんはこっちに並んで。B組さんはここから出まーす」とすっかり先生になったように、ひとり言を言いながら曲に合わせて踊っている。

新戸部　舞　3歳11か月

歌うのが好き

何やら鼻歌のようなものを歌っていると思ったら、何とオルゴールの曲〝ゆりかご〟と、祖父母宅の前の中学校で鳴らしている〝アマリリス〟の曲だと判明。びっくりする。

石村　史　1歳

歌や踊りが大好き。〝ぞうさん〟の歌を手で振りつけしながら「がーんがん、がーんがん」と歌う。

板垣　碧　1歳7か月

童謡の本を持ってきて、自分の好きな歌のページを開けて「これ、これ」と、歌ってくれるまでせがむ。久しぶりにお

〝風さん、さよやか〟
夏目香菜子さんの成長記録から

3か月　哺乳びんをくわえながら、ハミングしているような声を出す。もういっぱいなのかとはずすと怒る。兄いわく、「おいしいから鼻歌が出るのかな」。

9か月　子守歌を歌うと口もとを見ながら自分も「アーウー…」。

1歳7か月　テレビの手遊びを見てまねる。「おいでおいで～」のときは手をぶらぶらさせて(ここは自信たっぷり)、あとはワンテンポずつ遅れるが、楽しそう。

2歳10か月　朝起きてから眠るまで口を開きどおし。振りつけありの歌には、皆あきれるほど。将来はチアガールかしら。

3歳5か月　踊りつき自作〝風の歌〟。「かぜーさん、さよーやかー、かぜの中でなかよくしましょー」。母「さよやかって何?」香菜子「朝、窓をあけたときされいな風が気持ちいいでしょ、それ」。母は納得。もう二度と聞けない歌でしょう。

3歳8か月　兄とよく替え歌をつくる。それも「うんち」やら「おしっこ」といったことばが出てくるものばかり歌ってはゲラゲラ。

3歳9か月　自作自演の歌「おかあさん、おこりんぼうだけれど、やさしい心もあるんだよ～」。父は大笑い。母は苦笑い。

父さんの口からも歌声が。

荒木　望　1歳8か月

よく見るテレビの主題歌を口ずさんでいることがある。ひとり遊びに集中しながらも鼻歌が出る。　中　郁乃　2歳1か月

「ねーんねーんころーりよ」と歌い出したので、私も一緒に歌おうとすると、「み・・・いたん！」と歌うのを止められる。「じゃあ、みーちゃんに歌ってもらおー」と言うと「ねーんねーん、むーしむーし、かーたーつむりー」と変な歌に…。

安斉美穂子　2歳3か月

窓から小学生の兄ちゃんたちが行ったりきたりする姿を見ていて、一緒に遊びたそう。道ですれちがったりすると、仮面ライダーの歌を急に歌ったりして、気を引こうとする。　酒井敦史　3歳6か月

替え歌やなぞなぞが大好き。「幸正くんがお散歩していたら、桃の木から実が落ちてきて、サンキュー、拾ってトントコいきました」と歌う。

青山幸正　3歳10か月

こわい音もある

瞬間的な大きな音をこわがる。ドアの音、鼻をかむ音、鼻をすする音、せき、くしゃみなどにすごく敏感で、大声で泣く。

都澤洋樹　3か月

掃除機がこわいらしく、かけ始めると遠く離れたところに行く。ときどき走って近くにくるが、また走って逃げていく。

吉井美香　1歳8か月

結婚式で、神楽の笙《しょう》が〝フェーン〟と鳴り出すと同時に大声で泣く。聞き慣れない音、厳かな雰囲気がこわかったよう。その後「かみさまいってきた、こわかった」と言う。

田中陽子　2歳3か月

雷がとてもこわく、雷の鳴った日はうそのように〝おりこう〟。

荒木麻里　3歳1か月

お母さんの工夫

いっしょに歌う　いっしょに聞く

“もう１回”は歌えない　美穂子がハーモニカをブーブーしながら「おかあさん、うたって！」と言うときは、何でもいいから歌うと美穂子は喜ぶ。“おとうさん”とか“おばあちゃん”とか“たっくん”とか“ニンジン”とか美穂子の知っていることを歌詞にとり入れるともっと喜ぶ。「もう１回歌って」と言われたとき、もう一度同じに歌えなくて、怒られている。

安斉光子（娘２歳）

何の音が聞こえるかな？　山歩きをしているとき「よく耳をすませて、何の音が聞こえるかな？」なんて質問を出すと次から次へと答えてくれます。「落ち葉を踏む音」「足音」「カラスの声」。静かに耳をすませて「小川のせせらぎの音」「ドングリが落ちる音」にお父さんは花丸をくれました。　中村洋子

（息子12歳、10歳、２歳　娘７歳）

音を出すのはおもしろい

音楽隊 行進!

音に合わせて

10人近くの子が、音の出るものを持って部屋中行進。みんなでするのがおもしろいよう。手づくりのしっぽに鈴をつけ、安全ピンでとめる。音がすると身体を動かしたくなるようです。　広瀬紀代子 (息子7歳　娘5歳、4歳)

鈴の輪つけて

太めのゴムで輪をつくり、鈴をつけてやったら両手両足にはめて、とんで音を出し、楽しそう。　山下淑子(娘2歳、6か月)

手づくりマラカス　いろいろ

音の出るおもちゃはどれも大好き。ヒットしたのはペットボトルの中にパイプ枕のプラスチックの粒々を入れたもの。振るたびにガラガラ、パラパラと音がして、赤ちゃんたちに好評だった。中に鈴を入れたものもあきずによく遊んだ。　井田万希(息子1歳)

ヤクルトなどの空容器に小豆を入れて、ビニールテープでとめると、マラカスのような楽器に。子どもの手にも握りやすいので気に入っていたようでした。　林　真理子(娘3歳　息子1歳)

太鼓やギターに見立てて

丸い容器にひもをつけて首から下げる太鼓や、箱に輪ゴムをつけたギターなど、家にあるものを使った楽器は、とても喜んで遊びます。　飯野幹子(娘4歳　息子2歳)

中に入れる物

ケース

絵本を見る　物語る

子どもはくり返し読んでもらうことを喜び、大好きな場面をわくわくして待っています。〝うんとこしょ、どっこいしょ〟1日に何回かぶを抜くことか…。お気に入りの絵本は、そのときの気持ちにぴったりの友だちです。

●物や人を見分ける力がついてきた6、7か月頃に、赤ちゃんは絵がわかり始めるようです。頁をめくると絵が変わるおもしろさや、読んでもらうものだということがわかるのは1歳前後。この頃は身近な物に興味をもつので、色づかいのはっきりした形のよくわかる絵本を好みます。知っている物を指さして、お母さんにそれを確認してもらい、ことばやその物を学んでいるのでしょう。特別に関心を寄せるところは、その子の体験が背景にある場合が多いのです。

●やがて絵本のことばの意味がわかるようになり、短いリズミカルなことばのくり返しを喜んでまねして言うでしょう。絵のつながりや話のすじも理解し始め、3歳頃には長いお話や空想的なストーリーもわかります。絵を見てお話をつくったり、弟妹に〝読んで〟あげたり、絵本のことばを別の場面で使ったり、劇遊びに再現したりするでしょう。

●絵本を見るのは、おとなと子どもが一緒にお話を味わい、心を動かされて楽しむとき。お母さんのひざのぬくもりは、子どもの心を温かくするでしょう。意味や感想を聞いたり、わかったかを確かめたくて子どもの心に不用意に踏み込んでは、楽しさが半減してしまいます。

子どもは絵本をくり返し読んでもらって何度も聞くことで、その世界がはっきりつかめて、話の展開に自ら参加していきます。今聞いたお話が子どもの心にしみ込んで根を下ろすには、ゆっくりした時間と反復が必要なのです。そして本から受けたイメージ、すなわち現実とはちがうもう一つの世界に遊び、やがてそれを自分のものとして新たな世界をひろげていきます。

めくったり、読んでもらったり

寝る前に、潤をひざに寝かせ、ふたりの兄たちに本を読んでいると泣く。もしやと思い、絵を潤に見えるようにするとピタリと泣きやむ。自分には見えないと訴えていたらしい。　豊田　潤　4か月

姉が本が好きなので一緒に『マドレーヌといぬ』を読むと手足をバタバタさせて大喜び！　こんなに小さくても楽しいらしい。もっと小さい子向きのブルーナ

の絵本を見せたところ、もっと喜ぶ。これからは駿にも絵本を見せてあげよう。

柴田　駿　5か月

絵本を読み聞かせると頁をめくるたびに絵が変わったり、擬音がおもしろいらしく声を上げて笑う。自分でもめくろうとする。でも、あきるとすぐかみつく対象になってしまう。

新海　恵　7か月

まるで本当に本を読んでいるように、ページをめくりながら声を出している。

佐藤令菜　9か月

今まではなめるだけだった絵本を持ち出し、さかんに頁を繰るようになる。食べものの絵をつかもうと、一生懸命に手を伸ばす。

楫　麻莉子　11か月

絵本を母の目の前に持ってきて、読んで、とせがむようになる。最初のうちは手あたりしだいに持ってきたのが、だんだんと〝お気に入り〟ができてくる。図柄が逆さでもおかまいなしだったのに、これも最近はちゃんと天地を間違えずに持ってくる。

清野琳太郎　1歳5か月

とにかく本が好き。少し前までは車の雑誌が好きだったが、今は主婦向けの雑誌。料理の頁では野菜などの名前を言って楽しむ。そして何といっても広告の頁の各社のマークが好き。この間までは三越のマーク、今は花王の三日月マークと大正製薬のワシが一番好き。夜空の三日月も「カオー」となってしまっておかしい。

真瀬勇哉　1歳7か月

風船が大好き。近くの図書館で約2時間かけて風船のついている本を探すと、今日は7冊見つかりました。ほとんど信貴が見つけてしまうのにはびっくり。その後、ソファーにすわって絵本を見て帰ってきました。楽しい1日でした。

塩尻信貴　2歳4か月

本や話の中にオオカミやオニが出てくると「オニは何を食べるのか」「オオカミがでてくるのかな」などと、こわそうな表情で質問する。本の中のことと、現実

ひろがる絵本の世界
佐光存人くんの成長記録から

1歳5か月　『いないいないばあ』の本が好き。母が頁をめくるとき、一緒に「バァ」と言っている。兄が本を読んでいると、存人もかかえてきて（押してきて）、『いないいないばあ』か『きかんしゃやえもん』を見ている。

1歳9か月　絵本が大好きなのでなるべくつき合って読むようにする。母がつき合えないときは父が。同じ本でも読み方がちがうとそれがおもしろいよう。両親が手の離せないときは兄に頼む。端から聞いているとお経のようだが、兄に何かしてもらえるのはとてもうれしいよう。

2歳9か月　保育園の帰り道、工事で冬眠から起こされたカエルを見つける。よほど印象深かったようで、以来そこを通るたび「カエルさん、いないね」。母が「どこに行っちゃったのかな」と言うと『てぶくろ』のおうちに帰ったんだよ」。そして〝あなたはだあれ〟って、ママ聞いて」と言い、「くいしんぼねずみとぴょんぴょんがえるよ」と答えて、カエルの存在を口にすると安心するよう。

2歳11か月　ひとりで本を読む(?)。オオカミやイノシシは低くてかすれた声で、お母さんは女らしいしゃべり方で、子どもは高い声で、と使い分けているのにはは

との区別はまだはっきりしていないようだ。

生井祐子　2歳11か月

お古の月刊誌を何回かいただいたら、愛莉はうれしくてそればかり。「ママはほかの本がいいなあ」と言うと「ごめんね、あいちゃんは大好きなの」と言い返されてしまった。

安藤愛莉　3歳4か月

演じたり、お話をつくったり

『おおきなかぶ』の本を引っぱり出し〝読んで〟とせがむ。「うんとこしょ、どっこいしょ」と言うと、体を前後に動かし、かぶが抜けると、一緒になってひっくり返る。最後にかぶが抜けるのを期待している姿に、裏切らず応えなければと思う。

中嶋健人　1歳1か月

リズミカルな絵本のことばが好き。「とってんとってん」「まてまて」「ポーンポーン」など文中のことばを口ずさんだり。

吉田和加　1歳5か月

虹の絵の本を持ってきたので「にじって言うんだよ」と言うと「じー」と空の方を指さした。保育園の帰り、雨上がり

感心する。一番のお気に入りは『てぶくろ』。『三匹の子ぶた』も好き。どういうわけか、オオカミが気に入っている。

3歳5か月　紙芝居の裏側にも表と同じ絵がついているのを発見。その小さな絵を見ながら上手に紙芝居が読める（?）ようになる。楽しくてうれしくて、誰かに紙芝居をしてあげたくて仕方ない。

3歳10か月　おばけに興味しんしん。図書館や本屋さんでどうやって見つけるのか、小学生向けの怪談などを見つけてきて「読んで」とねだる。テレビでも怪談アニメをくいいるように眺め、自分でも怪談をつくって母に聞かせてくれる。「そこにいた人は、顔はあるけど目も口もなかったんです！」といかにもこわそうな抑揚をつけて話す。母はこわがらなくちゃいけないのだが、楽しくて仕方ない。

お母さんの工夫

何度も読む絵本は

リズミカルなことばを口ずさんで　『おおきなかぶ』『おむすびころりん』などのリズム感のあることば（たとえば“うんとこどっこいしょ”“おむすびころりんすっとんとん”）を子どもと言いながら歩くだけでも楽しい。続きを、子どもが創作して別の話に発展したり、親子で大笑いしながら楽しんでいます。

塩﨑　恵（息子6歳　娘3歳）

登場人物は“コウヘイクン”　同じ本でも登場人物の名前を変えて読むと（ウチの場合だと浩平くんと○○ちゃんになったり、ウルトラマンとダイレンジャーになったり）世界が少し変わるのか、とても喜んで聞いています。読み始める前から「今日は○○ちゃんと○○くんにしよう！」などと提案してくれます。

高橋倫恵（息子3歳）

購入するのは気に入ったものだけ　本は家庭文庫から借りて、気に入ったものを買うようにしている。好きな本は何度でもくり返して読むと、そのうち覚えてしまう。

冨永葉子（娘6歳、3歳　息子1歳）

頁をめくると絵が変わる！

の空にかかっていたきれいな虹を思い出したらしい。　冨田　悟　1歳6か月

絵本を見ながら、自分でお話を考えてしゃべっている。「おかあさんは山で歌ったり、踊ったりしたです」はまともだが、「おとうさんは山で生まれてくるです」というのもあり、聞いていておもしろい。

神澤律子　2歳1か月

絵本の『てぶくろ』を読んで、てぶくろのかわりに布団で遊ぶ。布団の間にめぐみが入ったところへ、母が「入ってもいいですか?」と入り、ぬいぐるみを次々に入れる遊び。とても喜び、母も楽しい。

伊藤めぐみ　2歳7か月

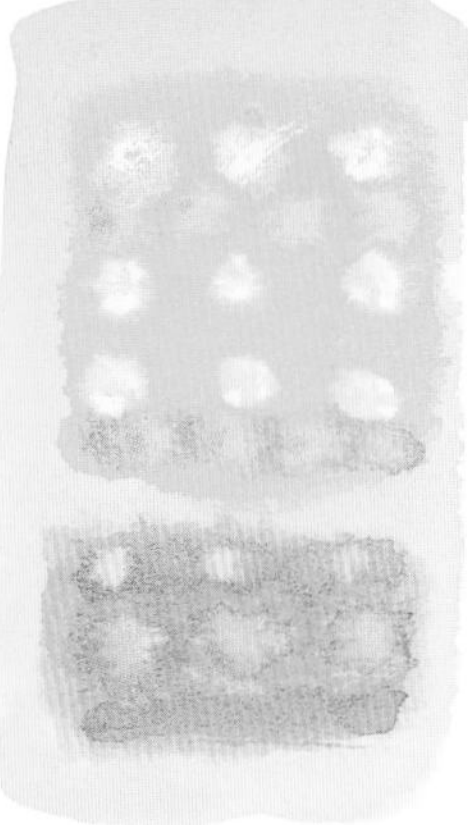

父が仕事から帰ってきたときとか、自分が出かけたりするときは、絵本の中から「しっかりかせいでくるからのう」とか「一日ご苦労さまでした。足を洗ってくだされ」。何かほしいときは、桃太郎の

絵本について思うこと

親にも楽しい時間

わが家の子どもたちには、本棚に並んでいる本を、手がとどくところはすべて出してしまうという時期があった。絵本を親と一緒に読む楽しみを覚えたのは、その後のことだ。

1歳8、9か月の、やっと片言で「もっかい（もう1回）」と言えるようになった頃には『いたずらきかんしゃちゅうちゅう』や『きかんしゃやえもん』を1日に何度読んだことだろう。おかげで親もお話を覚えてしまい、夜、部屋を暗くした後も布団の中で、お話をくり返したのを覚えている。子どもと本を読む時間は、親にとっても楽しい時間だった。兄（小1）の方は、読んでもらうよりは自分のペースで読んでいく方がよくなったのか、読んだ本の話に耳を傾けるのが親の役割になっている。

絵本のことで、印象にのこっているのは、祐人が3か月くらいの頃、兄（当時2歳7か月）が、自分のお気に入りの本を祐人のベッドのそばに持って行き、覚えているお話を頁をめくりながら聞かせていたことだ。上の子は自分より小さい子の出現に、うれしさと困惑との両方の気持ちの間でゆれていた時期だったので、私はとても温かい気持ちになった。

小宮由紀（息子7歳、4歳）

心を支えた物語

長男が2歳の頃転居して、それまで近所に小さい子どもがいなかったため、大勢の中に入ってゆくのがとても大変なようだった。そのとき『三びきのやぎのがらがらどん』をくり返し読み、心の支えにしていた節がある。かまれたり、叩かれたりしたとき、ついに出た反撃のことばは、「大きいやぎのがらがらどんだぞ！」というものだった。

3歳半で弟が生まれて、本人なりに環境の変化に耐えていたときは『フランシス』のシリーズをくり返し読んでいた。私自身も教えられることが多かったけれど、本人も主人公のフランシスに心を寄

「おともします」を言って、くれとせがむ。

林　滉一朗　2歳7か月

図書館に行き、自分で絵本を選んで開くと、こぼれるようにお話をする。どんどん話して頁を終わる。家に帰ると母に本を読んでと持ってきて、もう自分ではお話をしない。家ではできないんですと。図書館でだけできるひみつです。

吉武くらら　3歳8か月

ビー玉を横1列にきれいに並べ「ビー玉がお散歩に出かけました。このビー玉はお留守番です」とお話をつくる。少ししておおかみと7ひきのこやぎの話になり、ビー玉をこやぎにし、おおかみのボールでビー玉をはじきとばしたり楽しそう。

西原禎朗　3歳11か月

せることで、現実におきていることを、かみくだき、そしゃくしていたように思う。

坂本美枝子（息子5歳、2歳）

ことばが豊かに

自分の姿と登場人物とがダブって見える内容の絵本をくり返し読むように言われたり、読んでいるときに「やだよーだ」と気持ちを表すセリフを、絵本の中の会話に合わせて発したり。

雨が降っている日に、外へ出るなり、「雨ふってるよ！　パランポロンって」や、風船が飛んでいってしまうとき「フーセン、まてー」と言ったり。絵本の中でのことばが実生活で使われているとき、私自身、語彙が少ないので、娘にとっては大事だなぁと痛感している。

ゆっくり読むと内容がよく伝わるようで「トップン」「ザザーン」など表情のあることばは、大切に読むようにしている。

安斉光子（娘2歳）

絵本を選ぶとき

2週間に一度、市の図書館へ行っています。そこで自分の好きな本を3冊くらい選ばせ、あと2冊は私が選んでいます。一回読むと「もう一度読んで」と必ず言われ、短いのならいいのですが、長いのはちょっとぞっとして「また後でね」と言っていましたら、ある日「おかあさんはあとでって言って読んでくれない！」と言われました。このことばにはドキッとして、いい加減にはすまされないと反省しました。

斎藤美紀（息子4歳）

お母さんの工夫

ゆったり読書タイムを

手づくり絵本　子どもの落書き帳に、集めたシールや広告のかわいい絵を目の前で切り抜いて、貼ってつくった手づくり絵本。愛着がわくらしく、毎日見ています。ストーリーはないけれど、いろんなものに興味のある今の時期にはよかったようです。　寺上節子（娘1歳）

読書タイムを出勤前に　朝7時半〜夕方5時すぎまで保育園に預けます。夕方は帰ると夕食の支度です。せめてと思い、早起きして朝食後30〜50分くらいをゆったり読書タイムにしています。絵本を読むときは必ずひざにだっこして読みます。　二村寛子（娘2歳、3か月）

読書ノート　走り書きだが、毎日、読んだ本、心にのこったことばなどを書きのこすことにした。これはとてもいい宝になりそう。

三谷道代（息子6歳、5歳、2歳）

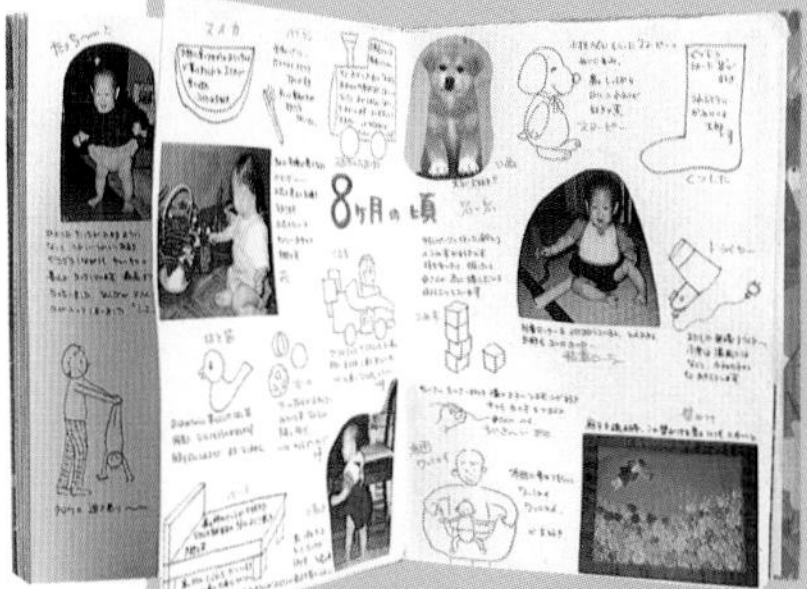

手づくり絵本　須貝悦子（15頁）

話すことは心をかよわせること

赤ちゃんは、お母さんや周りの人の話しかけを聞いて、ことばの芽を育てます。成長記録には喃語や表情、身振り手振りもいっぱいに使っての〝お話〟に、家族が心から共感を寄せています。ことばの早い遅いはあっても、子どもは親しい人に伝えたいことを、心にあふれるようにもっています。

言いたいがいっぱい

石村千代さんの成長記録から

2か月　「あー」「おー」と1音だったのが「あーあー」「あーいー」と二つ続けたり、高い声や低い声で言ってみたり、と工夫しているらしい。おとなが「そうねえ」とか「ふーん」と言うと、にこにこと大喜びで、いつまでも続ける。

5か月　いろいろな音を組み合わせて、おとなが話すようなイントネーションでかなり長い間声を出している。本当に話しているように聞こえるので、びっくりする。

1歳3か月　バナナなら「バ」、みかんなら「み」と物の名前の最初の一字だけ言うようになる。「○○が好きな人！」とたずねると、自分の好きな物や人の名前のときは「はー（い）」とにこにこして手をあげるが、知らない物やいやなもののときは知らんぷり。

1歳8か月　「千代ちゃんの横にごろりんしてもいい？」と姉が何げなく言うと陽気に「いーよー」。姉とふたりで思わず拍手。こうした具合に、ある日突然会話が成立したり意味のあることばを言ったり、びっくりすることがしばしば。

1歳10か月　保育所でマットから落ちて唇を少しけがした日、迎えに行くと「かーかー（母）んんん」と口をさして「えーえー（泣いた）どちん（落ちた）」と少ないボキャブラリーでようすを説明してくれた。

1歳11か月　今までためていた分を一気に出したかのようにしゃべり始める。「おっきいにーにー（お兄ちゃん）」と形容詞も使って話し、「ごめんね」「おやよー（おはよう）」「おやみ（おやすみ）」といった挨拶などもするようになった。まだ発音がはっきりしないので、ときどき何を言っているのかわからないこともあるが、そんなとき一番よく通訳できるのは姉。

2歳6か月　母が怒ってだんまりをしていると、「おかあちゃん、おしゃべりしてよ」「おこってるの、ちよのせいで?」「おかあちゃーん」と懐柔しようと一生懸命。母も仕方なく、というよりはこれをいいきっかけにだんまりを中止。

3歳　1語1語ことばを選んで話す。ときどき言いたいことばが出ず、じっと考えることも。ちょっと助け船を出してやるとあとはうまく続ける。保育所でのできごとの報告もだんだんリアルになり、母は楽しみが増えた。

3歳4か月　食前の祈りは千代の役目。いろいろなことを言えるようになる。「地震でおうちやいろんな物がなくなった人も、一つでもとりだせるようにしてください」そして必ず「おとうさんも早く帰ってくるようにしてください」(父はたいてい夕食に間に合わない)。

何だってメッセージ

斉藤晃士くんの成長記録から

3か月　夜、姉の寝た後などゆっくり顔を見てお話してやると、目がきらきらしてきて晃士もおしゃべりを始める。昼間ついつい放りっぱなしにして申し訳ない感じ。

5か月　晃士のおしゃべりに、姉が説明をつけてくれる。「アップップ」と言えば「アンパンマンっていった」。「マッマッ」と言えば「おかあさんあんていってるよ」。〝意味のない発声〟なんておとなからの見方で、理解しようと思えば、何だってメッセージなのだな。

11か月　喃語があまり出ず心配していたが「バババババ」とか「ダンダンダンダンダダン」とか、ずいぶんおしゃべりするようになった。母が、子守歌を歌うと口に指を入れて声の出るところを確かめているよう。近くで歌ってやるのも意味があるのかなと思う。

1歳11か月　知っている物、好きな物を見つけると「ママ、あーあー」。「ああ○○だね」と名前を言うまで「ママーママー」と言い続ける。これも一つの会話（コミュニケーションの方法）かな。

2歳1か月　わが家のことば遊びで「ララブタになる、ブーブー」の、ブタをいろいろな動物に変え

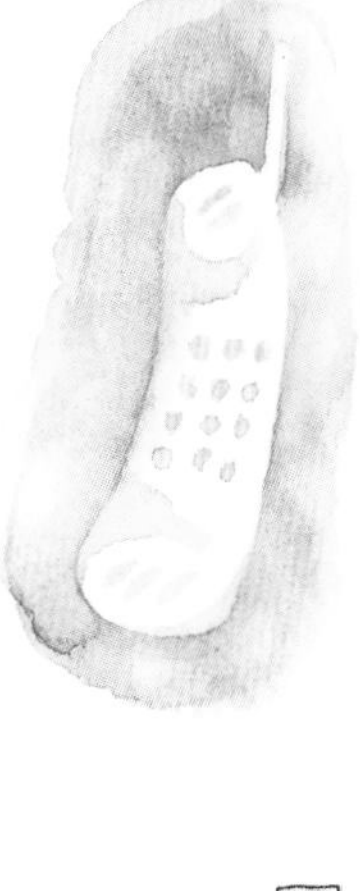

電話　相手が見えなくても

会話をしようという気がある。電話が好きで、かけていると受話器を持ちたがる。でもいざ相手の声が聞こえると何も言えない。「ハイ」という返事をすることもある。

尾崎友泉　1歳5か月

祖父から電話があると、とんできて話をする。おもちゃの電話でもひとりで返事をしながらお話。

福田真紀　2歳4か月

電話は一番先に出たがり「はい、谷口です」とはっきり言う。本来は恥ずかしがり屋で、面と向かって親以外のおとなと話すのは苦手だが、電話では会話できるよう。

谷口春香　3歳

毎朝、祖父に電話をかけるのが日課に。「おじいちゃん、おはよう。今日はまーくんのおうちのほうは、きりが出てますよ。おじいちゃんのほうはどう?」「朝ごはん全部のこさず食べたよ。おじいちゃん、ちゃんと食べた?」など。ひとり暮らしの祖父も政伸の「おはよう」を楽しみにしている。

今井政伸　3歳9か月

るのだが、晃士もイヌ、ネコなら、ちゃんと鳴き声を変えて言える。

2歳5か月 ようやく、晃士がしゃべり出した。おしめが完全にはずれたのも時期を同じくして…。赤ちゃんでない、頼もしい男の子になった。

自分の思いをことばで表現できることがうれしい。同じことを何度もくり返してあいづちを求める。発音はまだ不明瞭だが、本人はしっかり話しているつもりなので、聞きちがえるととても不満。

2歳6か月 本当におしゃべりになって、びっくりするくらいです。見たこと感じたことを、ストレートに何度でもくり返してことばにしている感じ。「とりさん、とんだ」—鳥のとぶのを見て、感じいったようにこう言うのを聞いたとき、私は、あたり前に見ていたことを感動をもってもう一度見ることができたように思った。

ことばがあふれるように

小山さらささんの成長記録から

11か月 「カーターン」と言い、母が「なーに」と言うのをまねし、母が見えなくなると「なーに」と言いながら探す。パジャマの歌を歌うと「パパパ」、一緒に寝転ぶと「ネンネ」と言ったり。

1歳6か月 2語文になってきた。「ちっこでた」「おふとんかけて」「にゅうにゅうのむ」など。

1歳8か月 毎日「これなあに」「何の音」「何してるの」などを連発して、ときには自問自答。母が傘をたたんでカバーに入れていると、じーっと見ていて「ズボンはいてる」。

2歳3か月 お散歩のたびに柿の葉、ドングリなどを拾っては「これ父さんに見せてあげるんだー。父さんほめられてくれるかナ」と言うので、「ほめてくれるかナ」と言うとさらさも言いなおす。

少しどもるようにことばをくり返すことがあるが、気にしないようにしている。何のことか、なかなかわからないこともたびたび。「おたむちゃんいたね」と言うので、おさむちゃんかと思うと「双子ちゃん」だったり、「ねこつけたかった」は「ネックレス」だったり。

理由もお話できるようになったので、それほど困ることはない。先日ファンヒーターガードの中に入ろうとしていたので叱ると、「これとりたかったの」と中に落ちたおもちゃを見ているといった具合。

しかし、記憶がよくなってきたので、いつまでもこだわって話すこともある。

2歳7か月 質問が続く。「どうして○○かしら」「どこから持ってきたの?」「だれと行ったの?」。「もしかしたら〜かもしれない」と言うのにはびっくり。

2歳9か月 「どうして? どうして?」の攻撃。母が話したこと一つ一つに「どうして?」と聞く。こちらが聞き返すと「〜だからじゃないかしら」と母のまね。

文も長くなり、ごはんを食べながら「あっ、かぜがふいているから木もゆれてるねー 木さんぐらぐらゆれないで立っててー ゆれないで立っててー!」と言ったり。

3歳1か月　何でも数えるとき「1ぽん」と言う。「折り紙1ぽんください」など。

日常の会話は不自由ないが、たまにお友だちと話していると、かなり「えっ?」と聞き返されていて、母とは充分でも、他の人にはまだ不充分かと思う。

3歳5か月　ずいぶんよくなってきたが、久しぶりに会う人や、初対面の人にはことばが出ないことも。慣れると「どうぞどうぞ」と自分の持っているお菓子、みかんなどをあげる。

3歳7か月　「あ、ドーナツの雲」

さらさ「食べちゃいましょうか」

母「そうね」

さらさ「どうやって登るの?」

母「はしごで登りましょうか」

さらさ(登るまねして)「あーだめですね」

母「鳥さんみたいにとんでみましょうか」

さらさ「それはいい考えだ!(バタバタ手を動かし)やっぱりだめでした!」

3歳10か月　「こうした方がいいかな?」と相談すると、した方がよいとか、しない方がいいなどと言ってくれるので助かることもある。その反面「今日ね、字の芽をまいてね、そこにまぐまちゃん(弟)とピクニックに行ってね…」と夢のような話をしたり。

映像時代の子どもたち

成長に与える影響は?

成長記録やアンケートでみると、多くの子どもたちは毎日1時間程度テレビを見ているようです。また、コンピューターやゲーム機も家庭に画像を持ち込みました。映像や音は半年にもならない赤ちゃんを引きつけ、拍手したり歌や体操に合わせて体を動かし楽しそう。そのうちにキャラクターのまねも始まり、テレビと一緒に自分でパジャマを着ようとしたり、宇宙への夢を育む姿もみられます。

テレビは、私たちが簡単には目にできない物や光景を、家に居ながらにして見ることを可能にしました。しかし、本来なら本物を見、じかにふれ、新鮮な驚きをもって体験することを、まずテレビという映像から子どもが知ることにもなりました。そこは、チャンネルのひと押し、ひとひねりですべてが変わる映像の世界、現実では決してもどらない〝時間〟をビデオでくり返せる非現実の世界…。このちがいが子どもの成長にどう影響するかは、残念ながらまだよくわかっていない段階です。ただ、ことばや実体験を手がかりにして、心の中にイメージを描くという力を育てる時期に〝映像情報〟が大量に与えられることを心配している人がいるのは確かです。

番組の内容や長時間視聴は?

幼児は、ことに登場人物に同一化してのめり込みやすいので、できるだけ一緒に見るようにし、番組の内容に問題を感じたら、ことばをかけて親の価値判断をはっきり伝えることも必要でしょう。

視聴時間が長くなると、子どものもっとも大切な自発的に遊ぶ時間が減ってしまうわけですから、見すぎかなと思ったら〝もうおしまい〟だけでなく、つとめて外に連れ出す、別の遊びに誘うなど、子どもの気持ちを他に向けるように心がけてみましょう。考えてみたらおとながつけっぱなしだった、という例もしばしば。テレビに子守りをさせない心づもりで生活全体を見なおすと、よりよい関わり方が見つかるかもしれません。

…なりに

弟が生まれました。おむつを出したり、ガラガラを振ったり、涙をふいたり、よく世話をやいてくれます。「赤ちゃんおっぱい」と言って、じっと我慢しています。涙をためて待っていたりすると、こっちもジーンときます。まり子なりに赤ちゃんを受け入れようとしているようです。

塩原まり子　1歳9か月

近頃では自分なりに1日のスケジュールを考え、段どりをする。たとえばお友だちと外で遊んだ後は、家にきてもらい母に梅ジュースをつくってもらって一緒に飲もう、とか。いろいろなことを小さな頭の中で予定を立てているらしい。

重村優依　3歳

自分の意に反することがあると大声で泣いたり怒ったり。おじいちゃん、おばあちゃんは泣かれるのがつらいので言うとおりに。母は譲れないことには、涼しい顔で譲らず。ひとしきり泣くと、後はさっぱりしている。おとなの対応はまちまちになってしまうがその中で暮らして、本人なりに何かを得てくれるだろうと見守っている。

丸山　遼　3歳1か月

以前は公園に知らない子がいても、自分から話しかけて友だちになっていたが、最近はひとりで黙々と砂遊び。ときどきは公園に誘っても行きたくないと言う。この子なりに知らない子に話しかけるのはエネルギーがいることなんだと思う。

石井美穂　3歳11か月

個性と受けとめて

やはり

半年下の女の子が一緒に住むようになり、とても関心を寄せている。自分が姉にしてもらっていることを、そっくりそのままその子にしている、やっぱり愛されて、愛することを学んでいくんだな。

フロイラン伴江　1歳8か月

母が「だめでしょう」「やめなさい」を連発していて妹（7か月）にかかりきりになると、反抗ばかり。母に甘えたいのだと気づき、できる限り話しかけたり、だっこやおんぶに応じると安心するようで表情もやさしくなる。やはり母がちゃんと接しなくては、と改めて心にきざむ。

西川雄登　2歳4か月

おねしょが続き、たまりかねておむつにする。「ひろくんもふーちゃんもおむつだ」といそいそ。やはり弟と同じようにしてもらいたかったのかとあきらめて紙おむつ。1週間ほどして「パンツにする」と自分でパンツをはく。以来ほとんど失敗しない。赤ちゃん返りだったのかなと思う。

富田裕章　3歳2か月

絵本や周りの動物、鳥を見ると、あれはお母さん、かおちゃん、お父さん、弘淳くんとあてはめる。絵本の中で大きくて仲よくくっついているのは母と自分で、父と弟のは小さい。やっぱり母と自分は仲よしで存在感も大きいと思っているのだなと思わせられる。

杉浦加王里　3歳11か月

なっとく！

外へ行く・水や土で遊ぶ
いいもの求めて

春夏秋冬、それぞれに1日の生活には子どもと一緒に楽しむ自然とのかかわりがある。そよ風に吹かれ、風に向かって走り、太陽の光、雲のかげりの中で砂を掘り、土をこね、石をけずり、水を流し…など、手、足、体で自然に直接にふれて、子どもの感覚、知性、情操が育つ。樹木と花と、虫と生き物は子どもの友である。

子どもは自分の興味を、他の子どもたちと一緒の場所で追求することを好む。だれもが自分のやり方で遊びながら複数の子どもたちが一緒に楽しむのには、おとなの知恵と労力を必要とすることが多い。それぞれの生き方を反映させて動的に発展するのが、よい集団である。

子どもは外へ

どうして子どもは外が好きなのでしょう。歩けるようになると、靴を持って玄関で待っている。〝外〟の魅力は子どもをとらえて離さない。

●幼い子どもの散歩は、発見と感動の連続です。何の代わり映えもない石ころや落ち葉にも「アッ」と指さして立ち止まり、しゃがみ込んでしまいます。歩き始めたばかりの子どもにとっては新鮮な体験に、思わずことばの前段階といわれる指さしが出るのでしょう。

●子どもと同じ目の高さで、外の世界を眺めてみましょう。子どもたちが体いっぱいに受けとめている自然からの贈りものが、きっと見えるでしょう。

春 日ざしの中でのびのびと

時間とご機嫌をみて天気のよい日はお散歩に。由真子はまぶしいのと空気の冷たいのとでか、ほとんど目をつぶったまま。家に入るとぱっちり目をあける。楽しそうにするのはまだ先か。

小野由真子　2か月

天気のよい日のお散歩は最高に楽しい。洋平は両手をバンザイ、空に向かってしきりに声を上げる。

有吉洋平　10か月

靴を買って地面を歩かせる。空の鳥や飛行機を指さし、じっと目で追ったり、アリやテントウムシを素早く見つけて追いかけたり、動きのあるものに興味。砂や石との遊びも大好きで、いつまでもいじったり自分で浴びたり、おもしろくて仕方がないようす。

織田聖平　1歳1か月

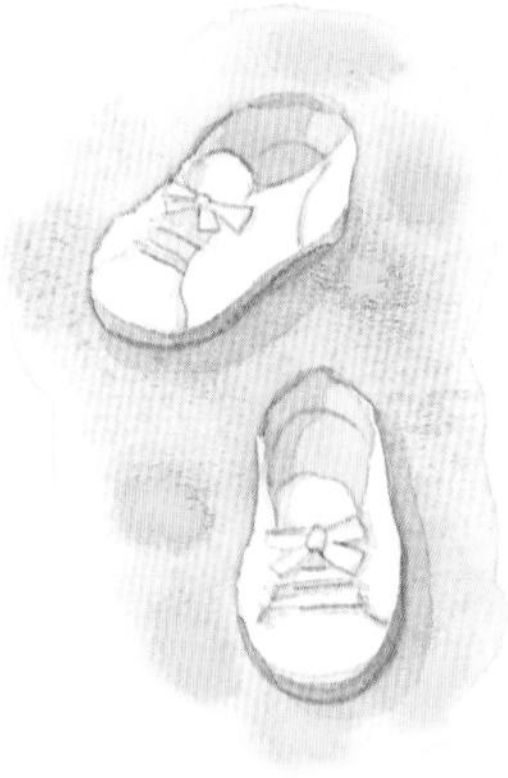

はだしにするといやがって片足を上げて泣いていたのに、ある日突然平気になり、田んぼの中、砂利の上など喜んで歩く。子どもは日々変化し、成長するので親の思い込みは危険だなあと思う。

松坂直樹　1歳7か月

晴れた日に外に出ると「ワー、いい天気、気持ちがいいねー」。雨の日には「あめあめふれふれ、かあさんが…」を得意そうに歌う。要するに晴雨にかかわらず〝外〟は楽しいのだ。連休でよく歩いて以来、かなり長い時間、長い距離を楽しげに歩けるようになった。

古川知志雄　2歳2か月

母が植えているチューリップやパンジー。「ママの〝大事〟なのよ」と教える

〝春〟見つけた

モクレンの大きくなったつぼみを見たり、高い木を見上げたり。垣根をのぞいたりして新しい葉や芽をさがす。見つけると「赤ちゃんのハッパ！」とはしゃいで母に伝える。
荒巻瑞穂　2歳3か月

雨が続き、やっと晴れた暖かい日、外に出るとたくさんの野草が花を咲かせていた。「わあ、きれい！　たくさん咲いているよ。あそこにも！　ありがとう、どうもありがとう」と言った舞のことばに、こんな幸せな気持ちにさせてくれる草花や日ざしに感謝する気持ちが育ったのだと、母も本当に幸せを感じました。
新戸部　舞　3歳5か月

と、花の芽やつぼみをなでる。あまりつよくさわって花がもげてしまうと「ネンネ（ごめんね）」と花にあやまっていた。
小石貴之　2歳3か月

久々に天気のよい日、思う存分外へ出かける。ツクシやヨモギを見つけたり、牛が散歩しているのに出会う。テレビで〝つくしのムック〟の歌を聞くと「有子と同じツクシ」とうれしそう。
山元有子　2歳4か月

地面に棒で描く。道をつくりながら走ったり、円を描いてその中をピョンピョンとぶ。クローバーの花を摘んだり転がったり、ひとりではしないことも友だちがいると大喜び。
奥野ゆりか　2歳9か月

新地での生活にも少しずつなれ、天気のよい日は公園めぐり。いろいろな道を行き、公園を見つけると「あったねー」と大喜び。ときには青空弁当で長ーく外遊び。
前川古都乃　3歳5か月

ハチが花粉を集めるのをじっと見たり、小動物や草花に関心が深い。そろそろ図鑑を買ってあげようか。
和田奈々恵　3歳11か月

お母さんの工夫

外遊びを日課に

時間を決める　外に出る時間を、午前10時頃、午後4時頃（夏だけ）と決めていると、友だちも同じ頃に集合するようになり楽しく、また親同士も会話ができてよい。
山岡彰子（息子1歳）

見通しがつくと　お天気のよい日の午前中はなるべく公園に行ってお友だちと遊ぶようにする。それが日課になると、外へ行きたくて朝食もさっさと食べるようになった。
原　淳子（娘2歳）

先手仕事で　朝食の用意と一緒に昼食の下ごしらえ。外遊びから帰ってすぐ食べられるように、常備菜も活用し、早め早めに準備。洗濯物も前夜洗って、廊下に干しておく。
馬場麻記子（娘4歳）

買いものは　外遊びの時間を確保するため、買いものは共同購入でほとんどすませている。
棚瀬節子（息子2歳）

道草をする時間も　早く目的地にと思うと、道草もイライラしてしまうが、公園に行くときは“公園に着くまでも遊び”と思って、葉っぱや石ころを拾ったり、高いところに上ったりしながら行く。
菊井真理（娘3歳）

公園で外遊び

水遊び 砂遊び

子どもたちは、水遊び、泥遊びに夢中です。
夏の太陽の下でも、雨の日でも、お天気なんかに関係なく…。

●水が子どもの心をひきつけるのはなぜでしょうか。形もなく流れる限りない自由さに心が開放されたり、水の勢いに力を得るのでしょうか。砂や土に水を注ぐと、たちまち形や感触が変わるのもおもしろいのでしょう。

●雨の日、子どもは傘をさして歩くのが好きです。傘の重さを自分で支え、歩くと自分だけの小さな空間が一緒についてくるのも楽しいこと。思い切ってレインコートと長ぐつで、水たまりを歩くのも、晴れた日にはできない体験です。雨の日には、雨の日にしかできないことをするのが、楽しくすごすコツです。水遊びや泥遊びこそ、ぬれることや汚れを気にせずに、たっぷり味わわせてあげたいもの。公園に出かけるときは、靴と着替え、タオルを持って行きましょう。

●水で気をつけなくてはならないのは、命にかかわる事故。ふろ場や洗濯機、庭の池はもちろん、たらい、バケツなどでもおぼれます。溜め水を置かないこと、水遊び中は決して目を離さず、電話や来客のときは、子どもと一緒に出てください。

夏 どろんこ びしょびしょ…

公園のお砂場にすわって、シャベルやスプーンで、少しすくえるようになってきた。柄の先端をつまむようにして振っているところがかわいい。

堀口敬祐　9か月

梅雨は明けても雨降り続き。雨上がりはできるだけ外へ出るようにした。水たまりに石を投げたり、入って行って水しぶきを上げたり、全身泥水だらけ。母はエプロンをして、隆はTシャツと短パンで武装して。

峯木 隆　1歳5か月

夕食後、ごみを捨てに行くおり、夕涼みをかねて一緒に近所をひと回り。門灯や街路灯の影ができたり、お月さまが出てたり、飛行機が青や赤のライトを点滅させて飛んだり、日中とはちがい大喜び。

更家宏治　1歳7か月

砂遊びがとにかく好き。昼寝から起きてもすぐ庭にはだしでとび出して遊ぶ。海岸へ行っても海には入らず、ほとんど砂遊びに夢中。

加藤央樹　2歳

大きな海

この夏3回海に行く。しがみついて泣くと思いきや、波に向かって海にはいはいして行くし、海の中ならいつもご機嫌。海水にひたった指をなめては顔をしかめている。　臼井麻帆　1歳1か月

琵琶湖に泳ぎにいったが、浮輪をこわがり入れない。水際のところで遊ぶのは大好き。　神屋道也　2歳5か月

春、田んぼを「海だ」と言うので本物の海を見せようと海水浴へ。あまりに広く、波が高いのにびっくりして、結局足もつけず、海のそばでジュースを飲んで帰ってきました。　森島　玲　3歳1か月

雨ガッパを買ったので、雨降りにカッパと長ぐつで外出するのが母子ともに楽しみ。雨にあたる感触や、水たまりで思いきりビチャビチャ。こっちまで気分爽快。今では雨の日が待ち遠しい。　西村美奈　2歳2か月

水遊びが楽しくなる。ベランダに三輪車を置きブラシや石けんで洗っている。窓ガラスや鏡をみがくことも大好き。　豊崎達朗　2歳10か月

昨夏はこわくて入ろうとしなかったプールも今年は大喜びで入っていく。友だちが顔を水につけるのを見て、治寿自らやってみる。また小学生のお兄さんに「治くん指しゃぶりはおかしいぞ」と言われ気にしたり、友だちから学ぶことの多い夏でした。　金元治寿　2歳11か月

土だんごづくりが大好き。保育園でつくった物を「おみやげ！」とハンカチに包んで持ってくる。　倉林由佳　3歳10か月

お母さんの工夫

こんな水遊びも

ビニールプールを共同で　子どものいる母同士で相談して、アパートの屋上にビニールプールを上げ、最上階の4階のお宅からホースを引いて、皆で使う。おふろは嫌いだったが、水遊びは大好きでドボンともぐったり、水のかけ合いをして楽しんでいる。　遠藤真実（娘2歳）

ワカメや魚と　プールのおもちゃはセロハンのワカメや、スポンジを切り抜いた魚など。ざるにすくったり、ビー玉を中で拾ったり、ひしゃくで水をかき出したり。　馬場麻記子（娘4歳）

雨の日は　傘をさし、雨ガッパを着、長ぐつをはくだけでも子どもには楽しいらしい。空を見上げて口を開け、雨を口の中に受けたり、道の溝を流れる泥水をさわったりと、物珍しいことばかりのよう。　加藤直子（娘2歳）

水遊びのおもちゃは、セロハンのワカメやビー玉。口に物を入れる頃は、もっと大きなおもちゃを

心や体を育てる自然

どんなに小さな空き地でも、子どもは風や短くなっていく秋の日を楽しみ、木の実、草の実をめざとく見つけます。

●お母さんがちょっとちがった目で見れば、〝自然〟を子どもと一緒に楽しむことができます。八百屋さんや魚屋さん、花屋さんなどの店先にもよく見れば季節があって、おもしろいものです。

子どもと出かける場所は、遠出の必要はありません。近くの公園などなじみの場所をつくると、そこからも行動がひろがって、もっとたくさんのものと出会えることでしょう。

●自然の中には、草いきれや土の匂い、木のヤニや植物の汁、動物の排泄物など、日常ではあまりなじまないものも多く存在します。それらにふれることは、人間も自然の中で生きる同じ生き物として、大事なことでしょう。自然は、恵みへの感謝と同時に、脅威を克服する対象でもあり、雄大さの前に自ずと謙虚さを覚えるものでもあります。子どもも自然の中でさまざまなものに出会って、それを楽しんだり、こわがったり、不思議がったりしながら、心や体を育てていきます。

自然は素朴な子どもの心を動かし、それをことばや体で表現しようとする力を与えます。草の上を転がったり、風に吹かれたりする中で何かを感じとり、人間の内にあるとらわれのない自由な自然の心を、育んでいるのでしょう。

秋　実りの中で子どもは遊ぶ

先月、はじめて地面に下ろしたときは芝をこわがって泣いたが、今月は落ち葉に興味が出て、手で感触を楽しんだりしている。

山田　梓　8か月

木の実、草の実を採ることに熱心で、「ミーナ」と言いながら庭や保育所の行き帰りに採っています。赤い実はもちろん、青い実もすぐ目につき、採りたがります。

水谷皓一　1歳7か月

稲刈りのてつだいに。汚れてもいいうわっぱりに、長ぐつ、長ズボンのいで立ちで、田んぼのぬかるみを歩き回る。近くの小川に、メダカやカニを発見。カニなど手でつかんで大喜び。本当に楽しそうでした。

永田あすみ　1歳11か月

秋になって、幼稚園の送り迎えのとき、森に入ってドングリ拾いが日課になる。ドングリは子どもたちの宝石みたい。

堀江　綾　2歳4か月

外では、花や木をゆっくり見ながら歩く。近所のリンゴが赤くなりだしてから、リンゴの絵をクレヨンで毎日のように描いている。キノコを見つけると「たべていいの？」。キノコの知識のない母は、「お

空をみる

草の上に、ねっころがって「ママも」と言う。空の色がちがって見えた。「ありさってすごいねえ」と言ったら、「えへへ…」と笑う。ちょっと勇気が必要だったけれど、やってよかった。

高嶋ありさ　2歳

保育園からの帰り道、西の空が赤く染まっているのを見て「あっちのお空が夕方だ」という。

二村　萌　2歳6か月

十五夜の話をするとお月さまを探す。曇っていて見つからず、それから毎晩「きょうはお月さままでてるかなあ」。太陽や星、天気にも興味をもつ。

寺内千絵　2歳7か月

外のキノコは食べられないのよ」で通している。

間瀬静香　2歳5か月

散歩のとき、いろいろな形や色をした木の実を拾ってポケットにつめ込む。帰ってから画用紙にセロハンテープで貼って満足そう。

西岡大喜　2歳10か月

保育園の運動会。昨年は緊張のためか、泣いてできなかったが、今年はダンス、かけっこ、親子競技とリラックスして楽しんでできた。

東　莉沙　3歳5か月

公園に持って行ったドングリを友だちが見つけ「ぼくのドングリ」と持って行ってしまう。返してもらいたくて「みーちゃんが持ってきたんだから、返してちょうだい」と、自分で言いに行くことができた。

後藤みづき　3歳8か月

父と高尾山に行き、上り下りともケーブルカーに乗らずに歩く（少しだっこもしたが）。その日は昼寝もせず、体力がついたようだ。

佐藤多聞　3歳10か月

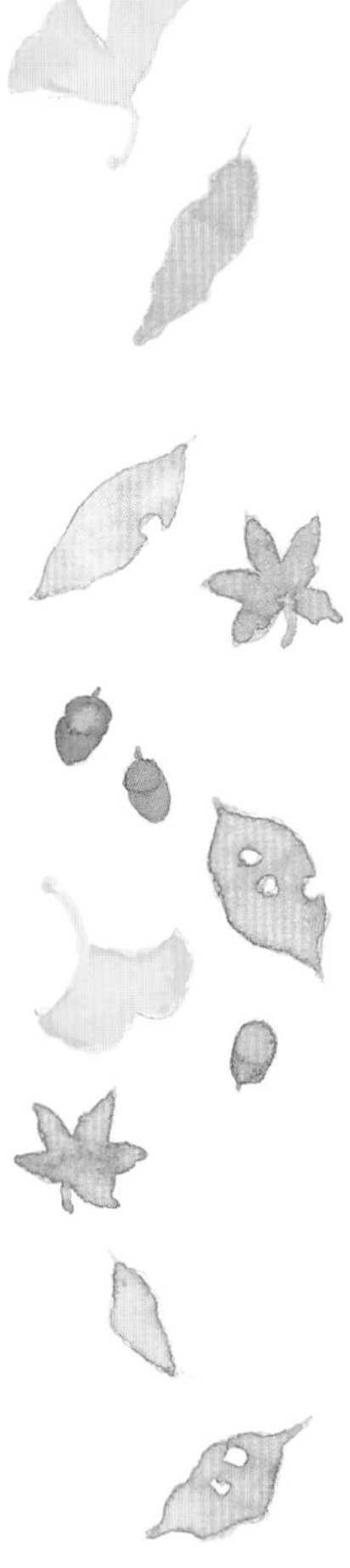

お母さんの工夫

自然を楽しむ

子どもといっしょに種まき　芽が出るまで毎日見に行く。芽が出るととても喜ぶ。花が咲いたときはもっとうれしそう。野菜もハーブも自分で種をまいたものは喜んで食べたがる。　原　淳子(娘２歳)

水やり　自分の木を決めて水やりをする。芽が出て大きく生長し、花が咲くのをとても楽しみにするし、育てる楽しさも知るようだ。　林　二美(息子３歳、１歳)

自然になぐさめられて　泣いて困っているとき、ちょっと外に出て、雨のしずくが葉っぱの上で丸く光っているのをさわったり、カラスが山の方へ飛んでいくのを追ったり、星を見つけたりする。気分が変わると、親子関係も安定した状態になる。　安斉光子(娘２歳)

芽が出た！

友だちと元気に

“友だちと一緒にいたい、遊びたい” その心が子どもを外へ誘います。

●外遊びで学ぶ大きなことの一つに、友だちとの出会いがあります。1歳頃はまだ一緒には遊べません。一緒にいても別々のことをしていたり、じっと見ているだけだったりという状態が続きますが、それでも一緒にいることを楽しんでいるようです。やがて仕草をまねたり、相手が見つけたものに関心をもってことばにならないことばで話しかけたり、同じ世界を共有することを喜ぶようになります。

友だちと楽しく遊んだ経験を重ねると、親のもとを少し離れても友だちと遊べるようになり、遊びも少しずつ役割を分担し、仲間意識をもつようになるでしょう。

●友だちとけんかをしたりして、公園に行くのをいやがることもありますが、そんなときは「友だちと遊ばせなくては」と無理せずに、遊びたくなるまで待ちましょう。

公園で遊ぶよさは、いろいろなおとなや子どもに出会うことです。お母さん同士の育児方針がちがい、親子ともにとまどうこともありますが、自分の思うようにならない中で、子どもは社会を学んでいきます。

冬　北風の中で

誰にでもにこにこしていたのが、この頃知らない人にはあまり笑いかけないようになった。でも公園で子どもがいるとじーっと目を離さない。自転車に乗っている子の動きに合わせて、航司の頭も行ったり来たり。

椎野航司　6か月

公園で母がよその子をかまっていると、その子に近づきペチペチと叩く。その子が少しして亜希の頭に自分の頭を近づけてゆくと、亜希も同じように頭を近づけてゴチン。ふたりともじっとしたまま、その後ふたりで抱き合い、その子がかけ出していくと後を追いかけ、ふたりで笑い合っていた。

袖田亜希　1歳6か月

相手の持っているおもちゃがほしいと自分の持っている物を渡し、物々交換をして満足。自分たちなりの解決方法を見つけている。

伊東秀爾　1歳9か月

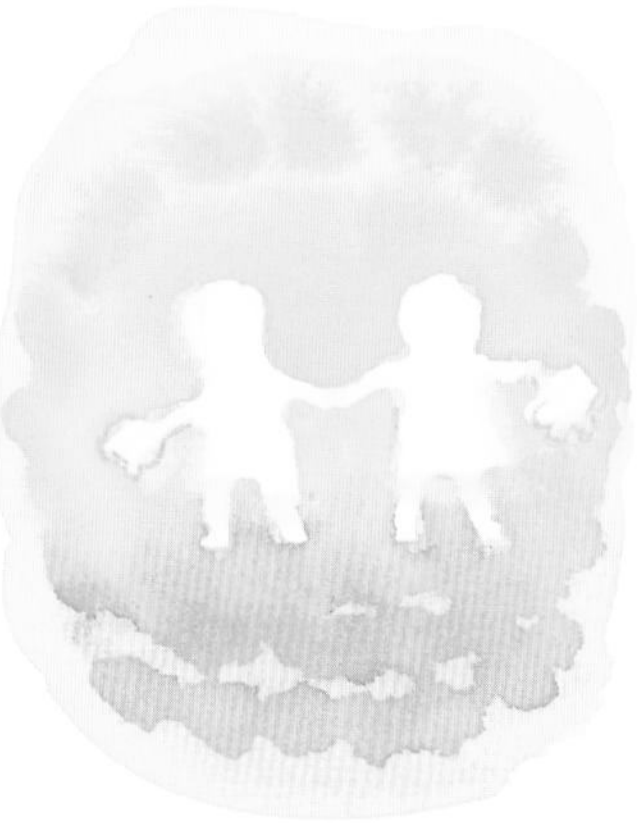

雪にはしゃぐ

めずらしく雪が積もり、「ゆきゆき」とはしゃぐ。長靴をはいて手袋をして父母と3人で外へ。最初はおそる、おそる。慣れてくると口の中へ雪を入れてみたり、父をまねて丸くして投げてみたり、踏んだり、雪だるまをつくったり。母も楽しいひとときだった。　堀山夏歩　2歳6か月

雪だるまをていねいにつくる。大きい雪だるまを想像していたが、美穂子のはこぶし大の丸が二つ重なったのだった。目とか口とか言って、雪をちびっとつまんでつける。皿に乗せて部屋の中に入れた。　安斉美穂子　3歳6か月

友だちと遊ぶのが大好き。とても楽しそうだが、調子に乗り、親の言うことを聞かない。棒を振り回し、大声を出したり。母とふたりだけのときは聞き分けがいいのに、友だちと一緒だと平気。「ママなんかあっちいけ！」と言うので、また母は叱る。でも聞かない。ふたりだけになると「ママごめんね」。

田上無一　2歳11か月

友だちが持っている物で遊びたがり、ついついとり合いに。いつもは見向きもしない物でも、友だちがそれで遊びだすと、とてつもなく魅力的なおもちゃに変身するらしい。また始まったと心の中でため息をつきつつ、よほどのことに発展しない限り眺めている。

松山茉莉子　3歳1か月

友だちをとても求めているのがわかる。外で子どもの声がすると耳をすませて聞いている。引っ越したばかりなので、公園に行くと子どもたちの中に入れず、遠くからほかの遊びをしながら見ている。母と一緒に少しずつ近づき、2、3人の子と遊べるようになる。でも人数が多いとこわくて逃げてしまう。

柴田葉月　3歳5か月

お母さんの工夫

外へ出るときは

持ち物表を貼って　お弁当持って、シートを持って、と台所の持ち物表をチェックしながら用意。よいとなればさっさと家を出る。　菅原洋子(息子1歳)

荷物はリュックに入れて　持ち物は両手があくようにリュックサックでしょってしまうと楽です。着替えがあれば、少々服が汚れる遊びをしても、叱らずに見守っていられます。

杉山玲子(息子10歳、3歳)

帰り時間を約束して　何時になったら帰りましょうとあらかじめ約束してから出かけます。腕時計も忘れずに。

小山さとみ(娘3歳　息子5か月)

麦茶がおいしい　ちょっとのどが乾いたとき、ベンチで麦茶というのが安上がりだし一番おいしい。

菅野　幸(息子3歳、1歳)

リュックサックに着替えを入れて
横須賀ますみ

遊びの工夫

いいもの探そう!

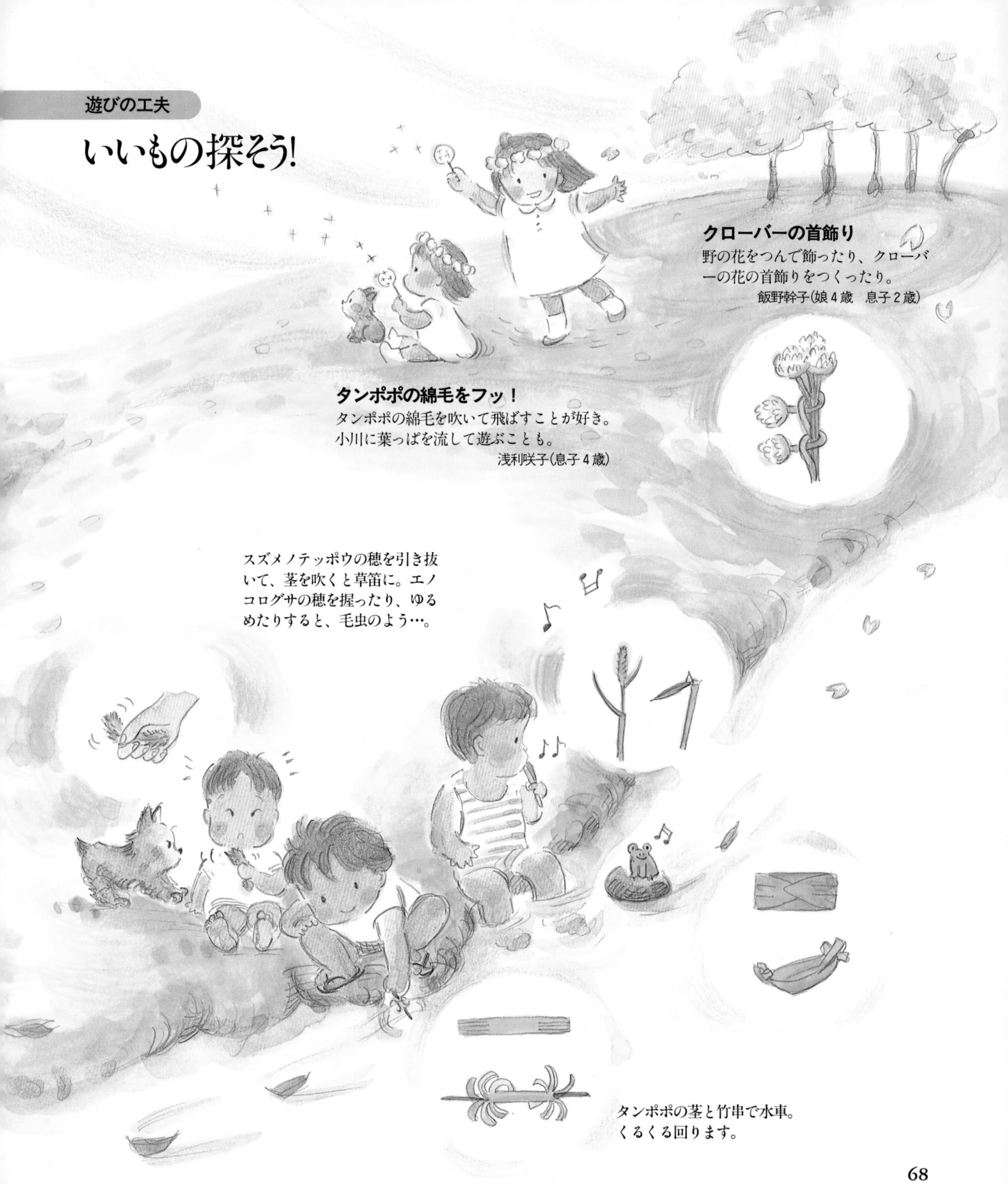

クローバーの首飾り

野の花をつんで飾ったり、クローバーの花の首飾りをつくったり。

飯野幹子(娘4歳　息子2歳)

タンポポの綿毛をフッ！

タンポポの綿毛を吹いて飛ばすことが好き。小川に葉っぱを流して遊ぶことも。

浅利咲子(息子4歳)

スズメノテッポウの穂を引き抜いて、茎を吹くと草笛に。エノコログサの穂を握ったり、ゆるめたりすると、毛虫のよう…。

タンポポの茎と竹串で水車。くるくる回ります。

外に出よう

落ち葉をふむ音

枯れ葉が積もった上を、音を楽しみながら歩き回る。

三次園子(娘1歳)

四季を楽しむ

娘と一緒に四季を楽しんでいます。春は桜の花吹雪。シロツメクサやレンゲソウの腕輪や指輪。タンポポの綿毛を飛ばし、ダンゴムシ探し。夏はセミ、ガ、チョウ、バッタ、イナゴ、カマキリ。しばらく飼っては放します。秋はトンボとり、落ち葉拾い、ドングリ拾い、ドングリのこまつくり。冬は枯れ草で引っぱりっこの相撲。　馬場麻記子(娘4歳)

松ぼっくりリース

松ぼっくりでクリスマスのリース。　鈴木智子(娘6歳、5歳、2歳)

落ち葉を貼って

落ち葉を冠にしたり、ゴミ袋に貼って頭と手の出るところを切って、ドレスにしたり。

伊藤裕子(娘3歳)

落ち葉を画用紙に貼り、人形のドレスや飛行機の形に。　小谷田裕子(娘6歳　息子3歳)

松葉やオオバコで葉っぱ相撲。そっと引いたり、つよく引っぱったり。勝つのはどちら？

落ち葉のシャワー

友だちと一緒に、落ち葉を手で拾い集め、それを投げ上げる。

林　二美(息子3歳、1歳)

やじろべえもおもしろい

ドングリ人形

ドングリの実とようじで動物づくり。

豊田淳子(息子8歳　娘5歳、4か月)

ドングリを拾ってマジックで顔を描く。

安田由美子(娘7歳、6歳、3歳)

動物と出会う

生き物は子どもの心をやさしくさせる――。
イヌ、ネコ、金魚、アリ、ダンゴムシ。みんな大切な〝生命〟との出会いです。

●子どもは、動物が自分と同じように感じたり考えたりしていると思っているのでしょう。だからおとなよりしぜんに動物と共感し、楽しむことができるのでしょうか。

動物を飼うことは、その生命に責任をもつことですから、ペットを飼うときは、おとなはそれなりの心づもりが必要です。餌をやるなど子どもでもできることを一つ決めて世話させると、愛情も根気も育ち、自分より弱いものにふれることで、しっかりもし、やさしくもなることでしょう。

動物の死に出会うこともあります。死は、誰もが生命というものを切実に感じるとき。子どもにとっても同じです。

●動植物はたくさん名前を覚えることよりも、実物をよく見、さわったり、何を食べているかなど自分で発見し、知ることがおもしろいのです。「はじめて出会うものに対する新鮮な驚きや、それを調べ究める姿勢＝科学する心を育てることは、問題にとり組む態度を養うこと（小荒井実氏・小学校教諭）」ともなります。

おとなは「どんな匂いかな」などと促すだけにとどめ、刺したりかぶれるなど危険なものに注意を払いましょう。

イヌやネコ、虫と遊ぶ

庭に出ると犬のタロウのところへ行っては石を食べさせようとするので、タロウはいやがる。その上、餌入れにしている鍋をとってきて、石を入れて遊んでいる。

森本悠太　11か月

公園でクジャクを見た日から、ときどき両手をお尻につけ、鳥のような格好で歩く。さらに顔の表情が何とも言えずユーモラス。

山下温子　1歳3か月

公園からの帰り道に、少々遠回りをしてワンワンツアー。近所のイヌ4匹にあいさつをして回る。1匹ずつ深々と頭を下げてバイバイをする。立ち止まったり逆もどりしたり、4匹回るのに時間がかかるが「ワンワン見にいこうか」と誘うと大喜びで出かける。

安田佳菜子　1歳3か月

土いじりが大好きで、アリを見つけるのも上手。土の上をはうものはみな「アリさん」。すわり込んで両手を差し出し、「おいで、おいで」をする。

小島沙織　1歳9か月

庭の家庭菜園を見て回り、虫を探し報告するのが日課。寝る前には昆虫の本を見ている。　幡宮慎太郎　2歳3か月

チョウの死んでいるのを見つけ、突然泣き始める。「ママ、チョーチョ」と、家に帰ってからも涙ぐむ。
今井政伸　2歳3か月

どぶ川の縁を小さな虫がはっていた。しばらくして水に落ちたのを見て「かわいそうだね」と、いつまでも流された方を見つめていた。アリを指でつぶしたり石で叩いたり、ずいぶん残酷なことをしていたのに、最近は小さな虫にやさしくなってきた。　石田貴洋　2歳4か月

この頃、とくにネコが好き。近寄ってなで回す。ネコがいやがって行ってしまうと「ターちゃん（自分）よ」と言って追いかける。遊んでくれないとわかると、泣いている。　池田隆明　2歳4か月

先月から金魚を飼って、餌を与える係をしている。「金魚におもちゃのエビやイカを見せてやるね」と言ってたので、昼寝をしているときに見に行くと、水槽にままごとのおもちゃがたくさん浮かんでいました。　岩崎　怜　3歳9か月

クマゼミになる！

古川知志雄くんの成長記録から

2歳1か月　熱帯魚を飼い始めた。朝起きると「おさかなちゃん、おはよう！」夜寝るときは「おやすみなさーい」。それを一匹一匹に向かって言うかのように、ていねいに心を込めて言う。

2歳5か月　セミが大好きで、自分で「クマゼミになる」と言って柱のところに行き、「ジャージャー」と木にとまって鳴くまねをしたりする。

3歳5か月　家族で牧場へ。午年なので馬にひとりで乗りたいと前から言っていた。白いたて髪の大きな馬に乗った知志雄は、少しもこわがるふうでなく立派でした。家で蝶の幼虫を飼い、はじめて黄アゲハになったところを見て感激。「きれいだなー」を連発する。逆にセミが道で死んでいると、悲しそうな顔をする。

お母さんの工夫

虫や動物と友だちに

知らない犬は　私の実家に犬がいるので、犬や猫をこわがることはないが、野良犬などもいるので「ポチ（実家の犬）じゃないワンワンはさわらないようにね」と言い聞かせている。ポチには顔をなめられても平気。　遠藤真実（娘2歳）

子どもと虫とり　私は虫が大嫌い。でもそれを子どもに見せては子どももこわがると思い、虫かご、あみを買って、この子のためにと一緒に虫とりをする。虫かごに入れるためには手でつかまなければならず… 何度かやっているうちに平気になるもので、何十年虫が嫌いだったのが少しずつ慣れてきた。
林　二美（息子3歳、1歳）

オタマジャクシをとりに　休みのたびに、おにぎりを持って近くの山や川へ行きました。オタマジャクシ、メダカとり、ドングリ、シイの実、グミ、スカンポ、フキ。一番下の子はムカゴも蒸して食べるんだと拾ってきます。　中村洋子
（息子12歳、10歳、2歳　娘7歳）

犬と仲よし

ぶらんこ　すべり台　三輪車

手も足もつかって全身でよじ登るジャングルジム、すべり台のスリル、
思いっきりこげば空までとどきそうなぶらんこ。
ちょっぴり冒険できるところが、子どもの心をひきつけるのでしょうか。

●高いところによじ登ったり、とび降りたりなどの運動の欲求もまた、子どものしぜんな願望です。ただ、遊具から落ちたりすると恐怖心をもってしまうので、上手になるまでは親も一緒に遊ぶことが必要でしょう。

●広い外なら、思いっきり三輪車や自転車を乗り回せます。危険だと止め立てするのではなく、どうすれば安全に遊べるか、交通ルールなどをその場でくり返し教えながら、親の目の届くところで遊ばせましょう。周りの危険を除いて安全を配慮するのは、おとなの役目です。

●「順番」「貸す」などのルールの意味が本当にわかるようになるのは、貸しても再びもどってくることがしっかり理解できたとき。それまではとり合いもあたり前です。お母さんが、「順番ね」「貸してね。ありがとう」など、ことばをかけていると、子ども自身が社会生活に必要なことばや態度を、だんだん理解して覚えていきます。

公園の遊具や乗りもので

ぶらんこにひとりですわる。慎重に後ずさりしていき、ゆっくりと腰を下ろすと満足そうに母を見る。そして足を曲げたり伸ばしたりして、ぶらんこがゆれると大喜びする。　鈴木理紗　1歳4か月

のんびり屋さんなので、おもちゃの四輪車にうまく乗れる日がくるのかしらと思っていたけれど、ふと気がつけば、ハンドルさばきもうまく、行きたいところへすいすいと行ってしまう。いつの間に…。　田中宏幸　1歳8か月

自分が上がっているすべり台の後ろから、ほかの子が上がってきただけで「ダメ」と言ったりする。おもちゃもなかなか貸してあげられないが、しばらくして心が落ちつくと、「どうぞー」と言って貸せることもある。　嶋村直子　1歳9か月

兄のお下がりの三輪車を父が夏子の希望のピンクにぬり替える。名実ともに自

分のものになったことと、父が手をかけてくれたことがこんなに小さくてもうれしいようだ。

上杉夏子　2歳1か月

三輪車が好きで、兄ちゃんの自転車の後をついていく。足でけってものすごいスピードで移動。少しペダルを回して進めるようになる。兄ちゃんの自転車がバス、洋ちゃんの三輪車がトラックで、すれちがうときはおたがい手で合図。しばらくすると今度は修理屋さんごっこと続いていく。

市川洋輔　2歳4か月

公園のフィールドアスレチックスへ。母はハラハラしながら見ていると、自分で考えながら慎重に進んでいく。ゆれる橋を渡ったり、鉄のネットを上ったり、鎖状のなわばしごも平気。挑戦させてみることが大切と痛感。

横山真由子　3歳

保育園の小さな鉄棒で前回りを覚えた。母が迎えに行くと、そこまで走っていって「かあちゃん、見ときや」と、してみせる。一段高いところでも、3回に1回は成功することがあって大得意。母は「すごいなぁ」とほめちぎる。

奥村　駿　3歳7か月

毎日のように、おやつが終わると「自転車乗りにいこう」と外へ出る。近所の子どもたちも出てきて、なわとびや、かくれんぼなどして楽しそう。土、日曜日は子どもたちの父親も加わって、体あたりの遊びをしてくれる。いろんなお父さんに遊んでもらえるので、子どもたちも楽しそう。

太田涼介　3歳11か月

愛車でどこへでも

井上尚太くんの成長記録から

1歳9か月　三輪車にまたがって歩くのが大好き。下り坂ではスピードを出して、足をチョコマカと動かして進む。

2歳2か月　知人から三輪車のお古をゆずり受けた。ペダルに足をかけてもまだこげないのが、はがゆいようす。

2歳4か月　雨の降った後、道ばたにたまった水の中を、三輪車にまたがって進むのが気に入っている。もちろん、靴もズボンもビショビショ。でも決してやめない。

2歳6か月　三輪車がこげるようになる。上手になってしまうと、今までどうしても前に進まなかったのが、まるでうそのよう。何に関しても同じですが…。

お母さんの工夫

「右、左、もう一度右」

道を歩くときは　白線の中を歩くように、横断歩道は左右よく見て、母も一緒になって手をあげて渡るように。

小山さとみ（娘3歳　息子5か月）

自転車（補助輪付き）に乗り始めたら
「とまれ」の道路表示、三叉路の印などを教え、ブレーキの練習を何度もしました。「とまれ」では、車がきていなくても必ず止まって、「右、左、もう一度右」を見てから進みます。これは歩いているときも同じです。

馬場麻記子（娘4歳）

子ども自身が確認を　家から公園までの道は、車のよく通るところ。気をつけたいことは子ども自身に認識してもらいたいので、そこを通るたび、「車こないかなぁ」と左右の確認をするよう促し、くせをつけるようにした。佐藤純子（息子1歳）

横断歩道は手をあげて

おもちゃの片づけは…

たっぷり遊んだ後の散らかったおもちゃ…幼児との暮らしには、よくある場面です。次々におもちゃを引っぱり出すのは、遊ぼうとする意欲があること。いちいち片づけるように言うと、遊びに熱中できなくなってしまいます。

よく遊んで気持ちが満たされた後の夕方などに、一緒に片づけられるとよいでしょう。子どもが小さいうちは、1日に1回ぐらい片づけられれば充分です。

積み木でつくったものなどを、子どもが「とっておいて」と言うことがあります。1日のことはその日のうちにというおとなの心づもりもあるでしょうが、次の日に続けて遊びたい気持ちが残っているのですから、できるなら大事にしておいてやりましょう。

片づけるということが、きれいになったこの場所で、また新たに遊ぼうという心をととのえる、楽しい時間になるとよいですね。

片づけるというルールがわかってきたのか、出かけるとわかると、「ナイナイ」と、自分で所定の場所にしまう。各種おもちゃのしまい場所もそれぞれわかっているのがすごい。　井上尚太　1歳8か月

「おもちゃを片づけなさい」など、都合のわるいことばは聞こえないふり。カルタやトランプをバラバラにし、片づけるように言うと、ホットカーペットの下に入れて片づけたつもりになり、母を見てにっこり。　関　光太朗　2歳1か月

〝おふろから出たらおもちゃを片づける〟と決めて、1日1回だけおもちゃ片づけ。ほとんど姉（5歳）がしてしまうけれど、「おもちゃも〝おやすみなさい〟って言ってるよ」と、納得してきた。

国重道大　3歳2か月

おもちゃ片づけは気が向くとする程度なので、「この汽車、お母さんを探してるよ」と言うと、おもちゃ箱に入れ「おかあさんに会えたよ」。ほかのおもちゃも一つずつ入れるようになりました。

松野孝治　3歳3か月

収納の工夫

おもちゃ入れは浅い箱に　深い箱だと下に入れた物がとれず、遊ばなくなるので浅めの箱に。

遠藤真実(娘2歳)

手の届く高さ　おもちゃをしまう場所は、子どもの手の届く高さ、奥行きも浅めに（奥の物を引っぱり出そうとして、たんすが落ちたことがある)。　原　淳子(娘2歳)

缶に絵入りの紙を貼って　子どもも絵を見てどのおもちゃ入れに何をしまうかわかって分類しやすい。

菅野　幸(息子3歳、1歳)

公園ごっこの収納袋　キルティングを直径90㎝の円に切り、縁をバイヤステープでくるみ、はとめで周りに穴をあけ、ひもを通した公園ごっこ用シート。遊んだおもちゃはそのままひもをしぼって収納。

安田由美子(娘7歳、6歳、3歳)

こまごまとしたブロックは　蓋つきの箱に入れていたが、引き出しに入れ替えたら片づけがとても楽に。2、3個入れ忘れていても引き出しを開けて放り込むだけ。遊ぶときは引き出しごと抜いて持って行く。

杉山玲子(息子10歳、3歳)

持ち数を少なく　数が多いと片づけるのがいやになってしまう。こわれた物は捨て、使える物はゆずり、長く遊べるものか考えて買うようにし、祖父母にも理解してもらい、無駄な物は増やさないように気をつけた。

渡辺朋子(息子10歳、7歳　娘5歳)

お父さん、遊ぼう！

休みの日には、お父さんと〝体を動かす〟遊びをしよう。

お父さんだと、何だかちがうおもしろさ。そのヒミツは力づよさとスリル。そして思いっきりのスキンシップも、こんなときに——。

さあ、お父さんの出番です。


内田裕之さん（体育教諭）と翔大くん（2歳11か月）、真歩ちゃん（9か月）の体を動かす親子タイム。「子どもと遊ぶとき、まず大切なのは一緒に楽しむこと。そして、その子のレベルに合わせることです」と内田さん。

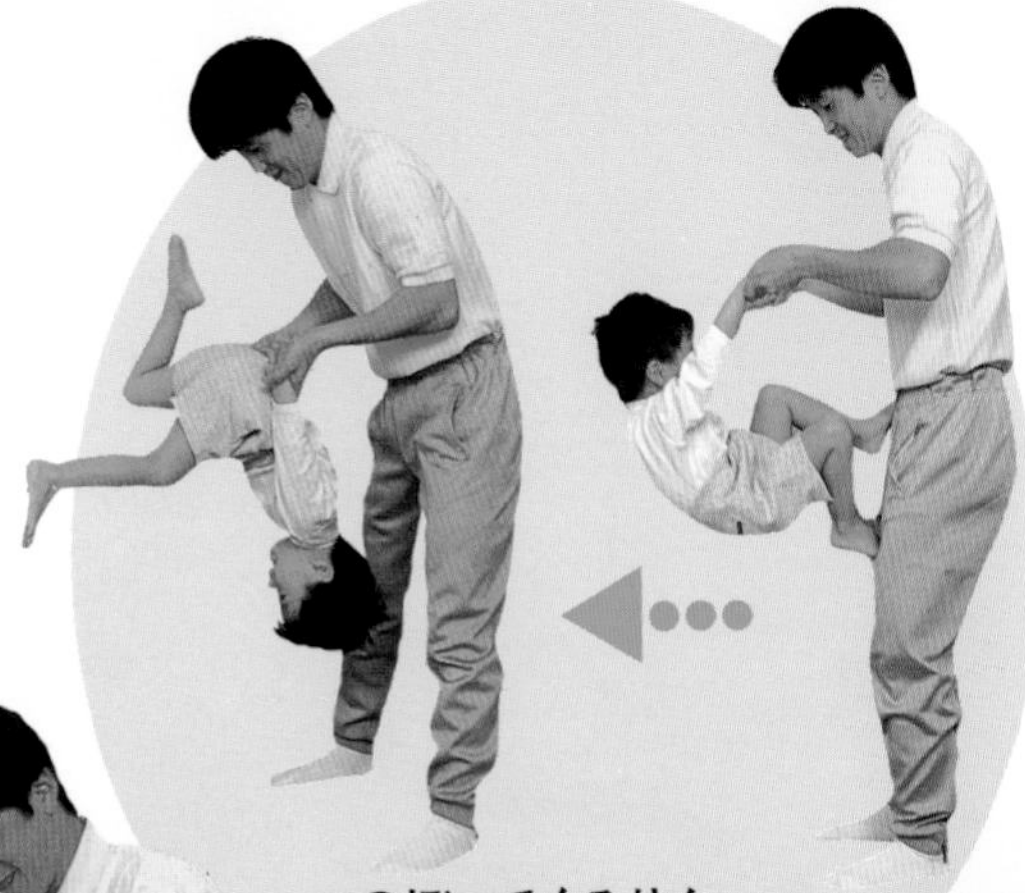

●のぼってくるりん

しっかりお父さんと手をつなぎ、よじ登ってくるりん。

●さか立ちあるき

お父さんに少し引っぱり上げてもらえば、体重が軽くなって、ほら1歩、2歩、3歩…。

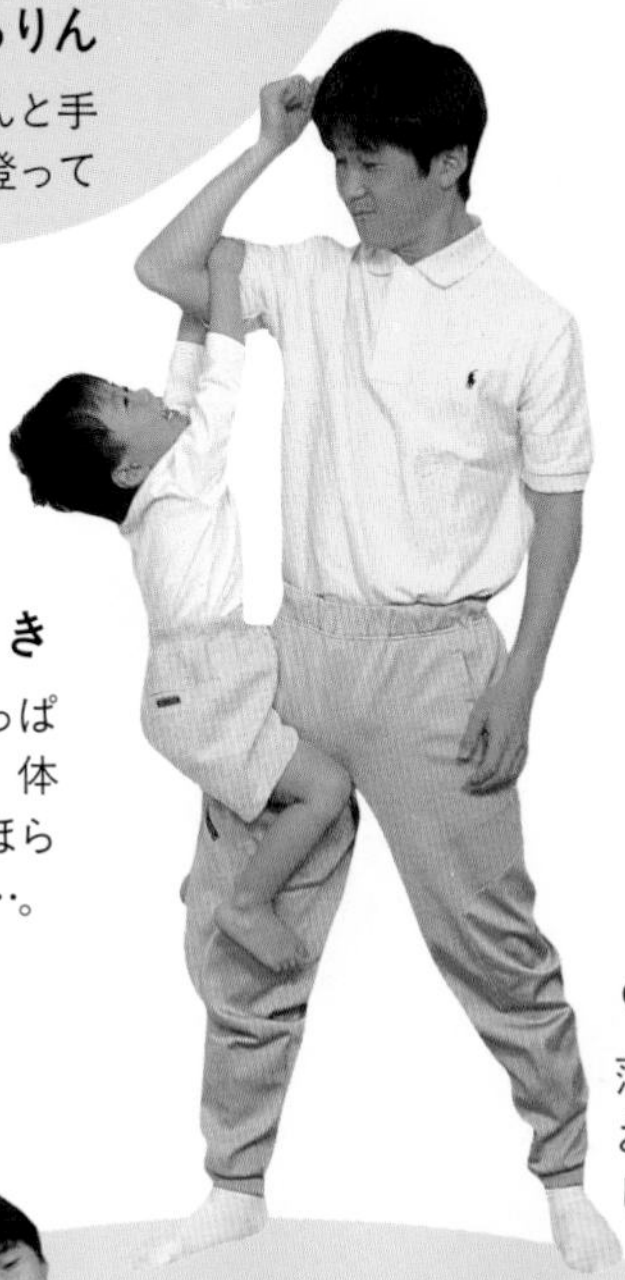

●お父さん鉄棒

落ちそうになったら、お父さんの足にひざでしがみついてしまおう。

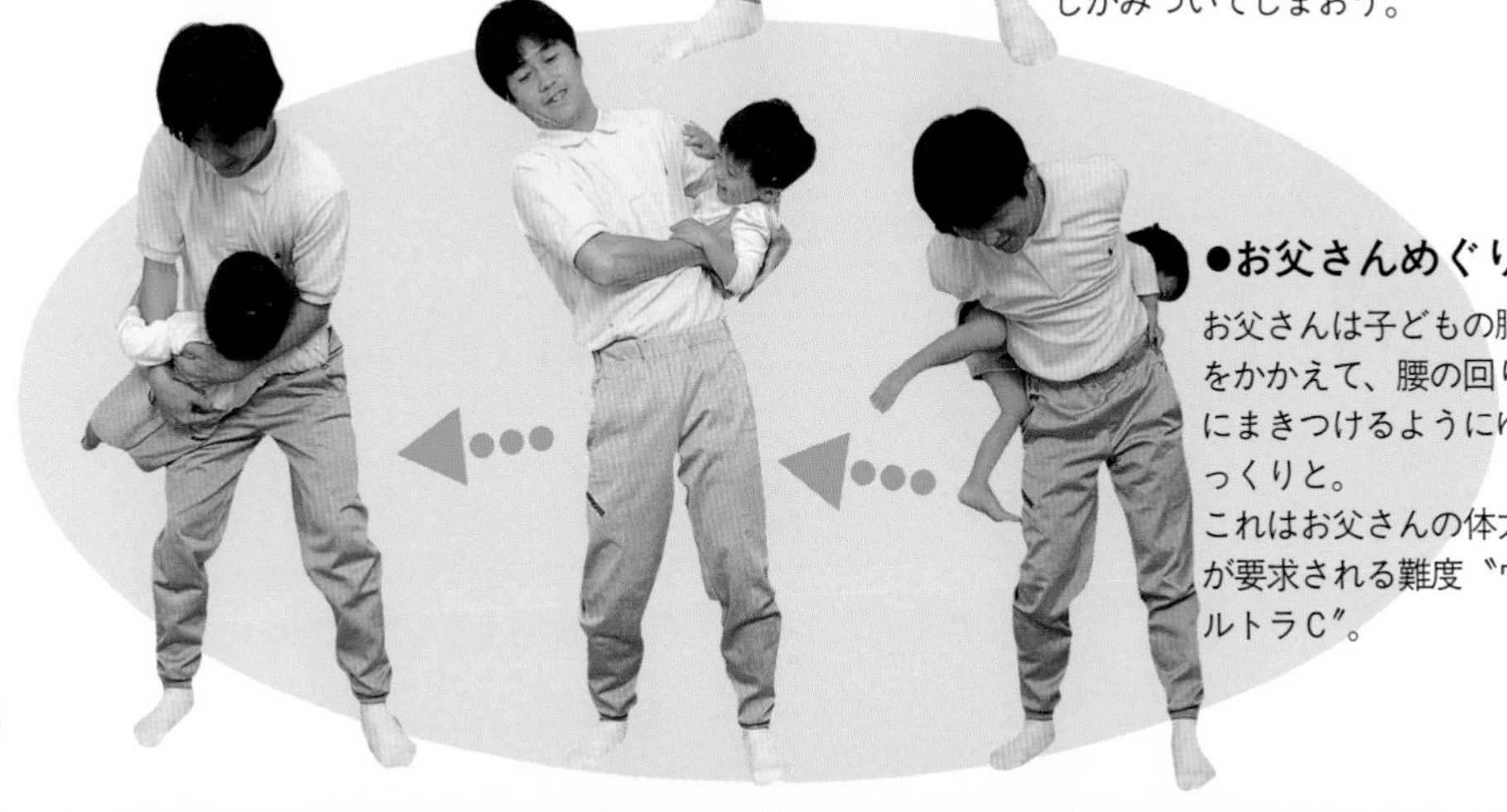

●お父さんめぐり

お父さんは子どもの胴をかかえて、腰の回りにまきつけるようにゆっくりと。

これはお父さんの体力が要求される難度〝ウルトラC〟。

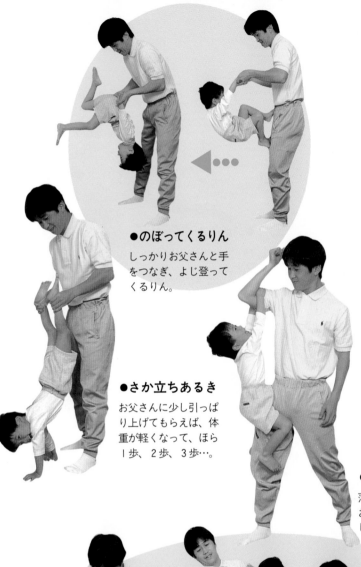

●お父さんのぼり

「どこから登ろうかな」。〝お父さん山〟はひざを少し曲げ、登りやすいように。

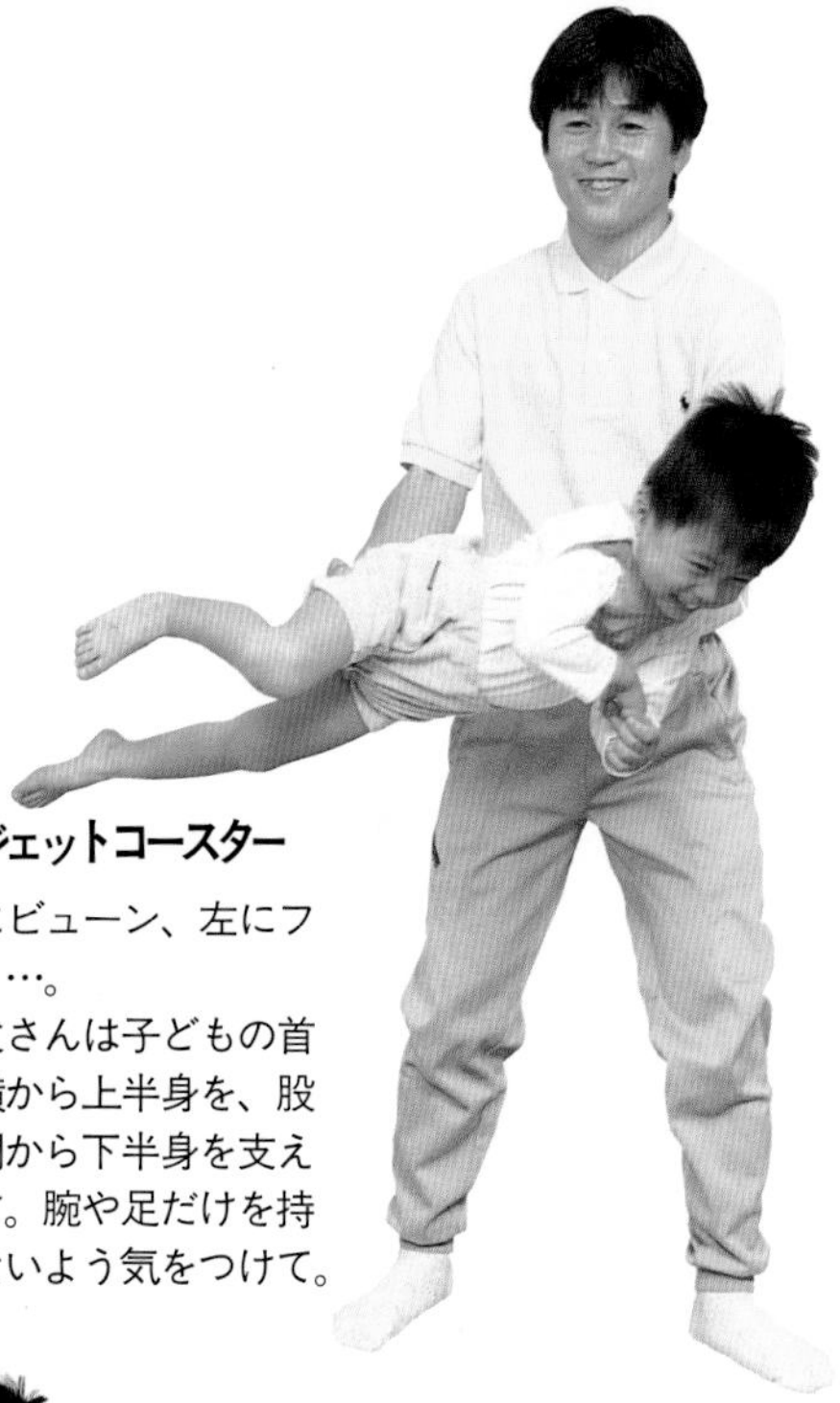

●ジェットコースター

右にビューン、左にフワリ…。

お父さんは子どもの首の横から上半身を、股の間から下半身を支えます。腕や足だけを持たないよう気をつけて。

●とべ！ひこうき

子どもが大好きなひこうきポーズ。お父さんは足の裏全体で子どもを支えます。腰まであげれば〝ウルトラC〟。

●空までジャンプ

お父さんは子どもの手首まで深く握ります。1、2、の3で、たか〜くとび上がって、最後はお父さんの胸に着地。

お父さん、遊ぼう！

●トンネルくぐり

早い早い！お父さんの顔に向かってハイハイ

●おさるの親子

腕も足もつかってお父さんにぶら下がろう。お父さんは移動したり、ゆらしたり。

「うわぁ　おちそう」

子どもの腕力が必要な難度〝C〟。落ちてしまいそうなら、お父さんが片手で背中を支えます。

●さか立ちできる!?

壁に足をつけて１歩ずつもち上げれば、ぼくもお父さんと同じ。でも、あれ？顔の向きがお父さんとちがうよ。

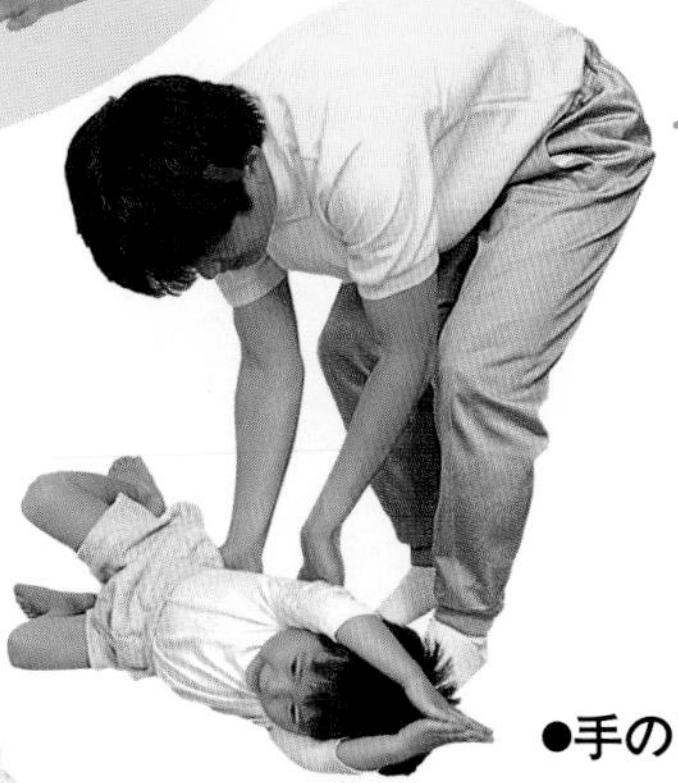

●やきいもゴロゴロ

小さいおいもと大きいおいも。手はロケットにするとよく転がるよ。

●手のひらバランス

右に左にユ〜ラユラ。お父さんの手のひら大きいな。両手で支えると、より安定。

「あー、いい汗かいたね、お父さん！」
子どもがこわがったり、いたがったりしたら無理をしないようにしましょう。

こんな〝コトバ〟をひろってみたら

このように・こうやって

あるとき、おもちゃをいつものように手渡すと、偶然だったのか手からおもちゃがこぼれ落ちた。するとその日はそれ以後ずっと、おもちゃを手渡しても故意に手放す。一度の体験から、このように体得していくのかと、感心した。

上ノ山栄治　9か月

ことばにはならないが、話しているらしい発語が増えてきた。姉の遊びに加えてもらえなかったときなど、泣きながらくやしそうに訴える。こうしてことばが必要になってくるのだと、親も勉強になる。

渡邉裕子　1歳5か月

晴れた日、女の子の友だちとお弁当を持って公園へ。このとき、諒が私の言うことが気に入らず、ふくれて走っていってしまった。友だちが追いかけて行き、何か話しているうちに大声で「おばちゃん、諒くん笑ったよ」。こうやってお友だちの中で育っていくのだと思った。ひとりっ子の諒も少しずつ、人への思いやりが芽生えてきたように思う。

有川　諒　3歳2か月

久しぶりに会ったお友だちに、最初はおたがいに恥ずかしがっていたが、ちょっとすると萌がおどけて歌い出したら、また前のように追いかけっこしながら遊び出す。内向的とばかり思っていた娘が、こうやって友だちを求めていることを知って感激してしまった。

齋藤　萌　3歳7か月

育つ姿になるほど…と

なるべく・できるだけ

1か月間に数回、人に預けたらすっかり甘えんぼになる。今までは眠いとき以外はほとんど泣かない子だったのに、1日中、ぐずぐずと泣くことがある。できるだけスキンシップをして、信頼をとりもどそう。

飯沼采奈　1歳2か月

物を投げ、人にぶつける。つばを吐く。砂場で砂をかける。小さい子を突きとばす。自分のほしいものは何も言わずにとり上げる。というように、彼の欲求不満の自己主張は、とどまるところを知らず。弟に手がかからないときは、なるべく抱いて、「お兄ちゃんだから」と決して言わないよう心がける。

政所智充　2歳7か月

母の仕事が忙しく、気づかぬうちに友紀への小言が続いた後、おもらしを立て続けに3日間する。ハッとして以後、叱るときもやさしい口調で、なるべく目線を合わせて話したり抱いたりと気をつけると、おもらしはまったくなくなった。

桜井友紀　3歳7か月

弟が生まれて1か月経つが、親や祖母にあたることがあっても、弟に対してはない。いつもお兄さんらしい態度をとっている。けれど今までしなかった指しゃぶりをするようになり、母はとまどう。できるだけ一緒に遊ぶように、心がけている。

千代幸平　3歳9か月

いつもは無理でも…

親たちへの応援歌

津守房江

子育てに完全はない

人間の赤ちゃんは裸のまま何ももたずに、この地上に生まれてきた。おとなの手厚い保護がなければ、生きていくことすらできない。この赤ちゃんに与えられている賜物は、周囲のおとなを信頼し、自分の思いをそのままに表すことかと思う。満ちたりたときにはほほえみを向けてきて、抱いているおとなの心を何ともいえない喜びで満たしてくれる。

おとなたちは喜びと同時に、このように小さな命を自分たちが引き受けて育《はぐく》んでいけるのか、という不安も抱く。夜に大泣きしてなかなか泣きやまないとき、どこか痛いところでもあるのか熱でもあるのかと、おろおろしたことを私自身思い出す。私の親も私を抱いて喜びと不安をもったのだろうかと、はじめて親たちのことを同じ立場で考えたのも忘れられないことである。

そんな日々の中で、理想どおりの完全な育児はないのではないか、ということに気がついた。完全な人間がいないように、完全な母親もいない。それぞれの人に与えられたそのときの精一杯の力で、人間を育てるという大事業をやればよい。楽しみながらできたら最高かと思う。

親たちの子育ての楽しみを支えるために、また育児期の悩みを大きくしないために、ここでは私が長年、読んできた乳幼児グループの子どもの成長記録の中に表れた問題をとり上げ、ともに考えていきたいと思う。

みちくんにも言い分がある

国重道大くんの成長記録から

10か月　叱られているとき、ほめられているときがはっきりわかるようになり、叱ると、下唇をかみしめてつらそうにする。

1歳1か月　ママやお姉ちゃんに叱られると、すごい勢いで叩き出したり、大声で反論する。もし自由にしゃべれたら、ぼくにも言い分があるんだよ、と言いたいのかしら。

1歳8か月　ママに叱られそうになると、「じいちゃん、ばあちゃん」と呼んで逃げ出す。ふたりの部屋にいると、何をしても叱られないので、すぐかけ込んでしまう。

2歳1か月　ママに叱られるとパパのところで泣き、パパに叱られるとママのところで泣く。両方に叱られたら—もちろんお姉ちゃんにしがみついて泣く。みんなに甘えられるようになってよかったね。

2歳2か月　甘えるときは「パパ、ボクね」「ママ、ボクね」とやさしい声ですり寄ってくる。思いどおりにならないとわかると、アクマに変身。泣いて叫んで地団駄踏んで、結局こちらが折れる。パパ

子どもの自己主張を見守る

自分とはちがう人格に出会うとき

こんなに小さい赤ちゃんなのに、赤ちゃんは自分とはちがう独自な存在であることに、気づくことがある。とくに自己主張がはっきりしてくると、その思いをつよく感じることだろう。

記録を読むと、子どもの独自な存在の種は、ずいぶん早くから芽生えていることがわかる。まだ1歳半ばにもならないうちに、強烈な表現で自己主張をしている記録もある。だが、まだ自分の思いが何なのかそれほどはっきりわからないので、何のため怒っていたのか、どうしたいのかが、子ども自身わからなくなってしまう。

子どもの自己主張がつよいということは、意欲をもっていることで、頼もしいことである。見通しがわからないままやってみることがなければ、子ども時代のめざましい成長はない。子どもは現実とぶつかり親ともぶつかって、本当に自分が何をしたいのか少しずつ見えてくるのだろう。独自の存在になっていくための生涯の旅の始まりと考えて、おおらかに受けとめられたらと思う。

子どもの自己主張の内容は生活のこまごまとしたことで、おとなにとってはどうでもいいことばかりに見える。水を飲むときこのコップでなければいやだとか、服を着替えるときどれでなければいやだとか、どのパジャマがいいとか、散歩のときどの道を通って行きたいかなどである。

2歳頃では自分の思いをことばで表現するのはむずかしいから、泣きわめいたりあばれたりということが多い。やがて自分の思いを相手に伝えることがしだいに上手になって、ことばや行為で自己主張をする。それだけでなく、おとなの提案や主張も少しずつ受け入れることができるようになる。

子どもは自分の願いを本気で聞いてくれるおとながいて、自分の気持ちを

のときはちがっていて、最後まで甘え通す。相手を見て決めているのね。

2歳5か月　自分のしたいことを伝えるとき、今まではまず怒って、泣いて、地団駄踏んで、大声出してというパターンだったけど、新たに少し引くということを覚えた。「みちくん、ブーブーで、あそびたかったなあ」なんて甘い声ですねてみせる。それにコロリとだまされて、つい「いいよ」と言ってしまう母である。

2歳9か月　パパの言うことにいちいち逆らうようになる。「おしりペチだよ」と叱られると、叩き返す。パパもすぐむきになって、みちが泣くまで言い合いや、叩き合いをしている。男同士ライバルなのかなあ。

3歳4か月　「世界中で一番好きなのはママ」そして「一番こわいのもママ」と言われてから、声をあらげて叱るのはやめた。そんなにこわがってくれてありがたいけど、結局言うことはきいてくれないなら、叱らずに見ていようと、少し落ちついてみた。

3歳11か月　パパやママの口調がきつくなったり、叱られると感じたりすると、話を変えたり、楽しかったお休みのことを急に言い出したりする。こちらが気を

受け入れられる経験を積むことで、他人の提案も受け入れられるようになってくることが、たくさんの記録からわかる。親たちが子どもの自己主張を通して子どもが自分とはちがった存在だということを学んだように、子どもも自分の意思や親の思いがあることを学んでいる。

わがままになるという心配

子どもの自己主張がつよいとき、多くの親がこれを許すとわがままになるのではないかと心配をしている。子どもが自分の意思をもち始めたことは、わがままとはちがう。自分のやりたいことや、いやだと思うことを表現することも、わがままとはちがう。むしろ生きるつよさと思う。

子どもが自分の意思に気づくのも、自分を抑制しようと気づくのも、周りにいるおとなとのやりとりによってできることである。おとなが子どもの気持ちを本気になって受けとることは、わがままにすることではなく、かえって子どもの意思を育て、人とも協調することを学ばせることになるのだと思う。

子どもの思いを通せない場合

毎日の生活の中では、子どもの気持ちを受け入れてやりたいが、できないこともあるのが現実である。無理に止めることも当然出てくることだろう。泣きわめく子どもに、主体性を踏みにじるようなことをしているのではないかと、心配になる親もある。

とられて叱るのをやめると、ホッとしたように抱きついてくる。知恵がついてきたね。

兄弟にはさまれて つよく、やさしくなる

古川知志雄くんの成長記録から

10か月 兄のやっていることが一番興味がある。そんな兄が母親に叱られて泣き出すと、自分のことのように一緒になって泣く。仲のよいこと、この上なし。

1歳 兄が父親（母親でも）にだっこされていると、叫んで寄ってきて、自分も同じようにだっこしてくれとせがむ。

2歳 けんかもするけれども兄が大好きで、朝、兄が起きそうな音がすると「あ、ゆっくん、おあよう！」と、待ってましたとばかりに布団まで迎えに行く。兄につくりかけのブロックをとられたりすると、「ちーちゃんのだー」「やめてー」とことばで抵抗できる。とられるくやしさを知ったからか、兄のをあまりとらなくなってきた。

2歳6か月 今まで母親のおなかには赤ちゃんがいるのよと言うと「ちがう！ちーちゃん！（自分のこと）」と叫ぶように言って、自分以外の赤ちゃんの存在を否定していたが、今月になって急に「この

私が子どもとの生活の中でいろいろな失敗ののちに考えたことは、子どもの願いを受け入れることができたときは親もうれしく、できる限りそうしたいと思う。しかし、だめだと断らねばならないときもある。2、3歳の子どもでは激しく怒ることが多いが、この頃の子どもは、自分の考えを否定されることは、自分の存在のすべてが否定されるように感じられるからであろう。だから、私が子どものやりたいことを止めなければならないときには、ことばで指図するだけでなく、そばにいて体をふれ合うようにした。子どもの存在のすべてを否定しているわけではなく、『あなたのことは好きだけれど、これはできないのよ、残念ね』というこちらの気持ちが伝わるようにと思うからである。

その後、気分転換の手助けをするが、このような手助けはやがて必要なくなって、自分で立ちなおる力がついてくる。それでもおとながいたわりの気持ちをもって接するのは、大切なことだろう。

思いが通らない中でも、なお明るく希望をもって生きられることは、私たちおとなにとっても重要な課題である。

本、赤ちゃんにも読んであげる」とか、「赤ちゃん、もうじき生まれるねー」とやさしい表情で口にするようになってきた。兄になる準備がしぜんになされていることに驚かされています。

2歳8か月　今月中旬、弟が誕生。それにともなってふたりの祖母が交替で来たり、母親が7泊入院し、家を留守にするなど、家庭生活において大きな変化あり。息子なりにその変化を元気に乗り切っている姿がうれしい。弟のことは「あーかちゃん！」ととてもかわいがる。兄に昇格して急に2歳上の兄と対等に口げんか、とっくみ合いをするようになってきた。感心するほど仲のよかった兄弟関係が変わりつつある。

2歳11か月　弟（3か月）のいる暮らしにもなれたのか、全体的に落ちついてきたと思う。兄（4歳11か月）の親離れ→友だちと遊びたくてたまらない──につき合って、年上の子どもたちとも実によく遊ぶ。みんなに「ちーちゃん」とかわいがられ幸せそう。

3歳2か月　2歳上の兄と自分を比べることが多くなってきた。兄にはできて、自分にはできないことをくやしがったり、親の対応の仕方が不満になると「ゆっくん(兄)ばかりでずるーい！」と怒ったり。

親の顔色をうかがうこと

子どもに意思が出てきて、それが必ずしも親の考えとは同じではないことがわかってくると、子どもは親のいやがることをしたと感じたとき、「しまった」という顔をする。母親との間の気まずい状況を変えようとして、つくり笑いをしてすり寄ってきたり、素直に親にしたがうことが見られる。

おとなの顔色をうかがうようすが子どもにたびたび見られたら、おとなの意志に従わせようとする力がつよすぎないかと、考えることは必要と思う。だが多くの場合、親を好きだと思う気持ちから出たことだろう。好きだから親にいつも笑顔でいてほしいし、顔色を気にするのだと考えられる。

また、子どもの中には、意思が芽生えると同時に規範を求める気持ちも出てきて、親の顔色をうかがうということもある。自分に対する誇りや、本当にこれでいいのかという疑いからくる行動は、親にとってわかりにくいときもあろう。自分からやらないで、母親にやらせて途中から自分でやったりするのも、自立心と自信のなさが同時に働いてのことだろう。

大きくなって人の顔色をうかがう人間になるのではないか、という心配は無用のことである。母親に心をこめて育てられた子どもが、母親の顔色を見て善悪を考えるのは、しぜんな形で良心の基礎をつくっているのだと思う。

うそをつくのは…

子どもは豊かな想像力をもっていて、いま目の前に起こっていないことを現実のように考えることがある。〝想像する〟ことと〝うそ〟とはとても近いので、おとなの道徳観ではとまどうことも多いだろう。親が「うそはわるいこと」と厳しく叱る記録も見られるが、現実ではないことを楽しんでいるような〝子どものうそ〟は、「そうだったら、おもしろいわね」と軽く受けていればよいことが多い。

また、手を洗ってないのに「洗った」などと言い張るような場合には、「お

3歳7か月　もうじき満一歳になる弟の動きが活発になるにつれ、関わり方も親密になってきている。自分が熱中している遊び（とくにブロック）がじゃまされそうになると、危機感いっぱいの表情で「やめてーやめてー」と叫び、最後は「お母ちゃーん」と助けを求める。とくにひとりで熱中するものがないときは、弟と一緒にはいはいしてみたり、「角ちゃん、お兄ちゃんは角ちゃんが大好きだよ」とやさしく言いながら、抱きしめたりしている。

3歳10か月　兄にも弟にもとてもやさしい。兄が何かのことで謝ると、すぐ許すことができる。弟が安全でいるように何かと気づかう。この心根のやさしさを大切にしたい。

3歳11か月　兄にいじわるされると泣きわめく。そして母親まで敵に回して、「何で俺ばっかりいじめられるんだよー　みんないじわるだー」と言う。兄弟げんかをして育っていくのだろうけれど…。

〝赤ちゃん返り〟を乗り越えて

岸本乃芙子さんの成長記録から

1歳8か月　弟ができて、世話を焼きたい気持ちと、自分もかまってもらいたい

や、おかしいぞ」と言って、これは困ることを知らせればよい。しかし「これは変だ」と言うだけでなく、子どもがうそをつかなければならないように親が追い込んだのではないかを、考えてみる必要があるだろう。

子どもの困難なときをともに

弟妹が生まれる頃

親にとっては、二番目三番目と子どもが生まれることは、少し不安があっても喜びであるが、上の子どもにとっては、必ずしも喜びではない。何だかわからない状況の中で出産のときが近づくと、不安になって親に甘えることが多くなる。母親が入院している間は、いつもとちがった不安定な生活をすることになるので、熱を出したり気持ちが落ち込んだりすることは、しばしば見られることである。

母親が病院から帰ってきても、その腕の中には新しい赤ちゃんがいて、家族の関心は赤ちゃんに集まっている。母親の一つのひざを奪い合って、子どもたちが泣き騒ぐとき、どちらも私にとっては大切な子どもなのにと思い、心が引き裂かれるように感じたことは忘れられない。今になると、子育ての中でもとくにこのことは、私自身がひろげられ、つよめられる経験だったと思うが、そのときは本当に大変だった。

成長記録の中に、子どもたちが弟妹を迎えて動揺し、赤ちゃんを受け入れがたく思い、ときには自分も赤ちゃんのように愛してほしいと思い、その思いの強烈さにおとなたちが、困惑するようすがうかがえるものがある。私の記憶につよく残っているものに、上の子が赤ちゃんの生まれたことに嫉妬して、ついには赤ちゃんがおへそに絆創膏を貼っているのまでうらやましく、自分も貼って赤ちゃんのようになりたがったという記録がある。その後、きょうだいがお姫様と王子になり、本気になって遊ぶ記録に出合ったが、これがあのときから2、3年経った姿だと気がついて大変驚かされ、うれしく思った。

気持ちが入り混じっているらしく、弟が泣くとおとなと同じように「ハイハイ、ドーチタ」と言いながら、布団をめくり、おしめを持ってくる。その後は自分も替えてほしいとねだる。また、抱いておっぱいを飲ませるように言いながら、おっぱいを含ませると、自分も飲みたがる。

2歳1か月　母が弟を抱いていたり、おっぱいをあげていても前ほど怒らなくなり、ひとりで遊んだり、人形を抱いて母のまねをするようになった。しかし父が弟をかまっていると、弟に向かって行って叩いたり押しのけたり、大声を出すこともある。母に対しては、なれとあきらめがついたものの、父に対しては自分ひとりのものであってほしいのだろうか？

2歳2か月　母が祖母と話していたり、話題が弟のことになると気を引くために大声を出したり、わざと怒られるようなことをする。

2歳6か月　まねされるべき姉が弟のまねばかり。それもやってほしくないことのまね。ごはんを手で食べたり、おもちゃをかじったり、砂場では、自分はほとんどしなかった、砂食べまでまねしている。

2歳7か月　急に弟のことを「この人、あかちゃん？」と聞く。ライバル関係か子どもたちは日々の生活の中で、たまたまカーテンの陰からのぞくと、そこに下の子がいて目が合ったのがおかしくて何度もくり返したり、ダンボール箱に入って窮屈なのがおもしろくて笑い合ってみたり、いつの間にかよい遊び相手になってくる。私が心がけていたのは、きょうだいが一緒に楽しむ経験と、親と一対一で自分のことをしっかり受け入れてもらう経験と、両方とも大切にしたいということであった。

旧約聖書にはさまざまな人間模様が描かれているが、創世記のきょうだいの話はことに印象深い。きょうだいの問題は人間にとって、いつでも抱えている問題なのかもしれない。

友だちとの出会い

子どもの声が聞こえると、抱かれていた赤ちゃんが身を乗り出すようにして、興味を表わすことに気づいた人も多いことだろう。子ども同士の心のひびき合いは不思議な気がするが、しぜんな心情である。その反対に子どもを見るとこわそうにして、なかなか子ども同士遊べないという訴えもある。

現代は子どもが自由に交流しにくい住宅状況なので、友だちとの出会いは人によって大きな差がある。おとなが子どもは元気で活発に遊ぶのがよいと思っても、子どもの個性や状況によって一人ひとりちがう。大勢の中に入って、みんなと同じように行動することだけがよいとはいえない。

ら、上下関係に目覚めたのかもしれない。

2歳10か月　弟に対してじゃま、とつかみかかって行くときと、世話をしたくて仕方ないときとくるくる変わる。どうしても弟の持っているおもちゃがよく見えるらしく、すぐとりに行く。世話を焼きたいときは、それはそれはかいがいしく、口うるさく、母のよう。

3歳6か月　毎日、弟ととり合いのけんかをしながらも、自分のおもちゃを貸してあげることもできるようになる。弟の方が勝手なことをして母が怒ると、「まだ赤ちゃんだから、ゆるしてあげようよ」と言ったりする。その後すぐに「私のおもちゃ！」と、とり合ってはいるが…。

3歳10か月　ある日の夕食後のこと、自分は終わってみかんを食べていたが、弟はお皿がからにならず、姉の横でうらやましそうに眺めていたところ、母がそばにいるのに、小声で「おかあさんには内緒よ」と言ってみかんを半分あげていた。

3歳11か月　公園で、同じ年の子と力を合わせて一つの山をつくったり、水をくんできて泥だらけになったりする。また、小さい子にも興味をもち、あれこれ世話を焼く。家ではよく遊ぶ弟が、外ではじゃまらしく、仲間に入れられず砂をかけまず自分が楽しく遊んだ経験を得て、他の子どもの遊びに共感して心や体が動き出し、友だちになっていく。これは時代が変わっても変わらない、はじめての友だちとの出会いの姿である。

けんかや物のとり合い

きょうだいや友だちができると、当然けんかもおこる。何の理由もないのにいきなり叩いたり、突きとばしたりすることがある。相手に対する恐れの気持ちがあって、どうつき合っていいのかわからないまま、とっさにする行動だと思う。突きとばされる方はもちろん、突きとばす子の親たちも困惑する。やられたらやり返すことを教える、という人もいる。それは他人に暴力をふるってよしと教えることである。自分の常識と思っていたことが必ずしも通用しないことを、親子とも知るのもこんなときである。

また他の子どもが持っているおもちゃをとり上げることも、しばしば起こる。とる方からすると、他の子が遊んでいるとそれは魅力を増し、自分も遊びたくなって手を出す。一方、自分が使っているおもちゃを他の子がとろうとすると大泣きをして怒るのは、おもちゃは単なる道具というより、自分の体と心の一部のように思われ、それがもぎとられるのだから大騒ぎになるのは幼児期では当然のことであろう。

物を見ると「これ誰の?」「誰が買ったの?」と聞く子どもの記録があったが、自分自身とそこに属するものとを意識し始めた頃のこととして、興味深く思った。まだ不確かな自分自身は、物を持つことでつよめられる気がするのだろうか。

母親は誰とでもおもちゃの貸し借りをしながら、仲よく遊べばいいのにと思うが、この時期にはまだ貸すということの意味がわかっていない。今、人が使っていてもやがてもどされるということもわからないとき、無理にやらせても、友だちと遊ぶことが重荷になってしまうだろう。記録にある子どもの成長の流れは参考になることと思う。

たり、突きとばしたり。家に帰れば手足を洗ってやったりするのに…。

4歳　4月になって、公園で遊んでいた友だちはみんな幼稚園に行ってしまい、公園がさびしくなる。平日は弟とふたりということが多い。ふたりで仲よく遊ぶ時間の長くなったことを感じる。

友だちの中へ
笹山隼人くんの成長記録から

1歳9か月　人におもちゃをとられても、自分からとり返すということができないので、「返してね」と母がついてとり返している。今はそれでいいと思う。

2歳2か月　自分のおもちゃを人に貸したくない時期なのだろうか、人がとって行ったように思えるのか、母を何度も叩きにきます。このときには「いや」と言えません。仲よく遊ぶのに骨が折れます。叩きながらたいてい泣きます。

2歳5か月　はじめて行く公園で。2～3日はよその子が先にすべり台をしていると、自分はしたくても見るだけだったり、降りてきたりしていましたが、4人乗りのぶらんこに、意を決して乗り込んだことが、本人にもうれしかったようです。

何を大切に育てたいか

子どもの生涯の最初の時期に、私たちは何を大切にして育てたらよいのだろうか。私たちの中には子どもについても自分についてもたくさんの願いがあるが、本当に大切なことは、そう多くはない。

私は信頼をその基本と考えたい。自分の存在に対する信頼と、人に対する信頼とを育てることかと思う。とくに自分に対する信頼は、生きる喜びによって育てられる。だからといって子どもとの生活には、特別のことがあるわけではない。日々の小さなできごとの中に、その喜びのもとがある。

母親と一緒に夕飯のために豆のすじをとったり、玉ねぎの皮をむいたり、散歩の途中で道の縁石のわずかな高さからとんだり、本当に小さなことを子どもは喜んでやる。それを一緒に楽しめるおとなは、大事業をしているといえる。外から見ると何もしていないように見えながら、精神力をもって子どもと楽しむことをやっていると思う。

子どももおとなも生きていく上で、必ず困難なことに出会う。そのとき、子どもが安心して生きる源となっているのは、おとなたち、とくに母親である。日々育まれた自分と人に対する信頼感を基礎として、困難に出会っても立ちなおることができる。信頼することは、生きていく上の大切な力、立ちなおる力となっていくことだろう。子どもが新しい世界に踏み出すときの、力のもとを育てたいものと思う。

2歳6か月　今月、はじめて自分から公園で友だちと遊ぼうとする。似たような子ども同士で群れて遊ぶ。周囲のおとなにも人なつこく話しかけていく。今まで逃げるようにしていたのは何だったのだろうと、母はびっくりする。

2歳10か月　ずっと仲よくしていた友だちが「ヒーローごっこ」で隼人をやっつけるまねをした後、極端に友だちを避けてしまう。「こわいこわい」と母にしがみつく。一か月間いたるところでこの状態。ほとんど母とすごす。おとなにはこわがらずににこにこ接する。

3歳　公園では何とか子どもたちで遊ぶようになるが、はじめは母の手をとり、母の後について回る。父と公園に行って、よその子に「あそぼう」と誘われたのに逃げてしまった。その子は「どうしてあそばないの」と聞いたということ。

3歳7か月　近所の子はまだ少し苦手なところがあるが、ごくたまに外に出る(平日)ときには、しばらくは平気にしている。しかし特定の子がいると「帰ろう」となる。

4歳　公園で知らない子と遊ぶ。最初は自分のボールを貸したくなかったが、母が「このお兄ちゃんと一緒にサッカーしてみたら」と軽く促すとついて行った。

発達は矛盾を乗り越えること

白石正久

人間の発達は、自らを高めようとする子ども本人の主体的な願いから始まります。生まれ落ちたばかりのどんなに小さな生命でも、その前向きに生きる姿勢を放棄することはありません。しかし、発達への願いをもったからといって、すぐかなえられるわけではありません。願いはたくさんあっても、今の自分の力ではとてもできそうもないことばかりでしょう。

子どもの願いと今の自分の間には、必ず矛盾があります。人はその人生の早い段階から、こうありたい自分、こうしたい自分をもち、そうならない現実との矛盾に悩み、葛藤している存在なのだと言ってもよいでしょう。人間の発達は、矛盾を自覚し、乗り越えていくことなしには実現しないのです。

そんな目でわが子の姿を見、そして何かを感じて見てください。無心に泣いてばかりいると思っていた姿に、あるいは親の言うことを聞かず、反抗してばかりだといら立っていた姿に、よき親になりたいと子育てに悩む自分と同じ、人間らしい心の世界を見いだすことができるでしょう。そのとき、親はよき心の支えとして、わが子の矛盾に、ともに立ち向かえる存在になれるのです。

〝心のバネ〟をつくる

心の支えは、子どもの外にあるだけではありません。子どもが心の中の矛盾を解決していくためには、自分の心の中にも支えをもっていなくてはならないのです。矛盾を乗り越え、発達の願いが実現したことが、自分への信頼を生みます。その信頼が、新しいことに挑戦しようとする意欲を育てることになるでしょう。まるで矛盾を乗り越えたことが、新しいことに挑戦する〝心のバネ〟をつくって

いるようです。

このように人間の発達では〝新しいことができるようになる〟という、発達の結果だけを見てはならないのです。発達への願いが生まれ、現実の矛盾に悩み葛藤しつつ、心を支えられて乗り越え、そして新しい〝心のバネ〟をつくり上げていくという心の中のプロセスを、大切に育てたいと思います。つまり、運動や手の活動、ことばなどの能力の発達は、心の発達のプロセスとまるで縄のようにより合わさり、一つの調和のとれた人格をつくり上げているのです。

たとえば、はいはいも、決して運動能力の発達だけで可能になるのではありません。目の前の目標を目がけて近づこうとする意欲の力なくして、はいはいは上達していかないはずです。そして、もし力及ばずあきらめてしまったときでも、「もう一回がんばってごらん」という心からの励ましがあるなら、子どもは、再び挑戦することができるでしょう。そんな太い人間関係の絆を結ぶことができているでしょうか。さらに、矛盾を乗り越えた喜びが、次の矛盾に立ち向かっていくような、〝心のバネ〟をつくることになったかを考えてみましょう。

向きたいのに向けない

人間の発達には、何度か矛盾のつよまるときがあります。

たとえば生後2か月頃、その仰向けの姿勢には明らかに向きぐせがあります。左右どちらかを向いていることが多いでしょう。向きぐせ姿勢でいるとき、子どもはほとんど笑いません。それは、〝向きたいのに向けない〟という悩みを宿した表情でもあるのです。この矛盾は、大好きな人の顔を見たいという願いによって引き起こされたのです。そして、その大好きな人を求める心がつよまるほど、矛盾を乗り越えていく力もつよくなるはずです。

このような悩み多きときを乗り越えていくことによって、子どもは新しい人格をつくり上げていくことができます。生後2か月頃の矛盾を乗り越えた子どもは、あやされて笑うだけの存在では満足せず、子ども自ら相手に笑いかけるほほえみの主人公に成長していくことでしょう。まるで、相手を自分の世界に引き入れようとするように笑うのです。

このほほえみは、やがてコミュニケーションの手段としての喃語に発展していきます。そして右も左も自由に向くことができる姿勢

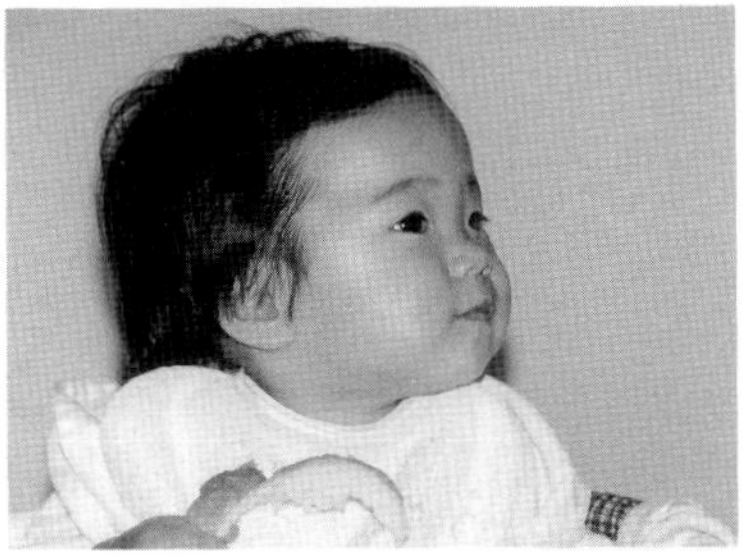

の主人公になり、やがて自らの手や寝返りで世界に働きかけようとする活動の主人公にもなっていくのです。

心の中にできる〃対〃の世界

この頃から子どもたちは、目の前にある二つのものを一生懸命見比べて、どちらか一方に手を出すようになるでしょう。誕生から半年後の姿です。子どもはこんなに早い時期から、自分で選ぶ力を獲得し始めているのです。子どもを終始受け身にしてしまうのでなく、こんな選択を、尊重してみてはいかがでしょうか。

しかも、子どもは一方を手にするだけでは満足しません。心の中の〃対〃の世界の間でゆれ動くように、もう一方にも欲張りな心は引きつけられます。そして、この〃もうひとつもほしい〃という欲張りさこそが、珍しいものへの興味を生み、新しい矛盾を子どもたちの中に育む土台になるのです。

こわいけれども興味がある

生後8か月頃からは、知らない人への人見知りや大好きな人との分離不安がつよまるときです。しかし、その泣き顔の中にあるのは、〃こわい〃という単純な心ではありません。知らない人の顔を見て泣いても、きっとこわいもの見たさで泣きながらその人を見続けることでしょう。心の中の〃対〃の世界がゆれ動き、〃こわいけれども興味がある〃のです。このとき、大好きな人の胸の中やひざの上が、悩める心を支える安全基地になるのです。だから大好きな人との分離不安がつよくなるのでしょう。

生後8か月頃の悩みを乗り越えた子どもは、自ら発見し感動したものを、指さしで教えてくれるようになります。それは、指さしの主人公と呼んでもよい姿です。やがて指先からことばが生まれるように、指さしはことばに発展していくのです。

そして、その頃になると、せっかく食べさせてあげた離乳食を、子どもは自分の手で口からとり出して、食べなおそうとすることでしょう。その手は、確実に道具を使う手に成長してきています。生活の新しい主人公に生まれ変わっていこうとしているのです。

いいもの探しの行進

新しい主人公として生まれ変わった子どもたちは、からだの主人公として、自らの足で

世界を探検するようになるでしょう。〝いいもの探しの行進〟です。そのきらきら輝くまなざしには、人間社会の発展を支えてきた好奇心〝何ごとも不思議と思う心〟が宿り始めているのです。

子どもの目の高さで一緒に世界を眺めてみましょう。おとなが忘れかけていた無垢の感性にもう一度出会えるのではありませんか。そのとき、子どもの指さしに応えて「きれいなお花だね」「アリさん、いっぱいお仕事してるね」などとおとなの口をついて出ることばがあることでしょう。

その素直でしぜんな共感のことばこそ、子どもにとって、〝もの〟には名前があることを知るきっかけになっていくのです。子どもたちは〝いいもの探し〟の中から、しぜんにことばの根っこを育てていきます。

友だちへの憧れの心

〝いいもの探しの行進〟は、子どもに〝いいもの探し〟をしている存在が自分ひとりではないことを気づかせます。そして、そのはじめて出会った友だちが、何を見つけていたのか、興味しんしんで見入ることでしょう。たがいの中に、憧れの心が生まれているのです。

憧れの心は、発達の大切なエネルギーです。その心によって、「あんなことがしてみたいなあ」と子どもたちはたくさんのことを吸収していくことができるのですから。

友だちがちょうどいい椅子を見つけたら、自分もすわりたいと願うことでしょう。椅子がなくても、一人すわれば、二人、三人と次々やってくるはずです。そのとき、新しくやってきた友だちは、どこにすわるでしょうか。決して端にはすわりません。友だちと友だちの間に、わざわざ割り込んでくるはずです。端にすわったのでは、仲間はずれの心境なのでしょう。これを〝新参者割り込みの原則〟とでも呼びましょうか。

そのくらいに、友だちを求める心はつよくたくましくなるのです。

立ちなおりの心

豊かにひろがった子どもの世界が、ことばという形に結実し始めるのは1歳中頃になってからです。やがて、1歳半健診の日がやってくることでしょう。そのとき保健師さんは、小さな積み木を使って子どもと遊ぶはずです。もちろんいくつ積もうとするかを見ようとします。しかし、それだけではありません。一

生懸命積んでいたのにその小さな積み木の塔が崩れてしまったとき、いったいわが子はどう反応するでしょうか。自分の失敗を受けとめて、くやしいけれどもう一度がんばってみようとする、心の立ちなおりを見せてくれるでしょうか。

この失敗からの立ちなおりの力こそ、1歳中頃にあるとされる発達の壁を乗り越えていくときにつくられる心の働きなのです。心の立ちなおり、それは素晴らしい力です。自分で自分の心と力を見つめながら、発達していくことができるのですから。

生活の主人公として自分の手で食べることを欲したり、自分の力で衣服の脱ぎ着に挑戦しようとするのも、みんな自分でできる喜びを存分に味わいたいからです。心の中によき自分をたくさん注ぎ込んでいくことによって、失敗を受けとめる心の器がつくられていくのでしょう。

自分で！ 自分で！

1歳児は、自我の誕生のときと言われています。確かにおもちゃ屋さんの前で立ち止まろうものなら、ほしいものを買ってもらえるまで、寝転がってだだをこねるでしょうし、家の中では、食べたいものがもらえなかったら、大変な騒ぎになります。

しかも、このように目の前にあるものを要求するだけではなく、散歩の道も、そして日課も自分で決めたいのです。心の中の〝対〟が、目の前にないものまで考え、選びとる力に発展してきているのでしょう。その力でせっかく選び、自分で決めたことが受け入れられないと、みごとなだだこねになるのです。この自分で選び、自分で決めたい心を、できるだけ尊重してあげましょう。

また、心の中の〝対〟が、自分と他者という区別の認識に結びついていきます。そのために、子どもは、常に他者ではない自分を意識するようになります。つまり「自分で！ 自分で！」というひとりでしたい要求を拡大し、そして「自分の！ 自分の！」という所有権の主張をつよめることになるのです。とても欲張りな子どもになってきました。

大きい小さい、多い少ない

欲張りな1歳児は、「もっとほしい」、「いっぱいほしい」、「おっきいのがほしい」と言わんばかりに、要求をつよめていくことでしょう。こんな欲張りな心に導かれて、2、3

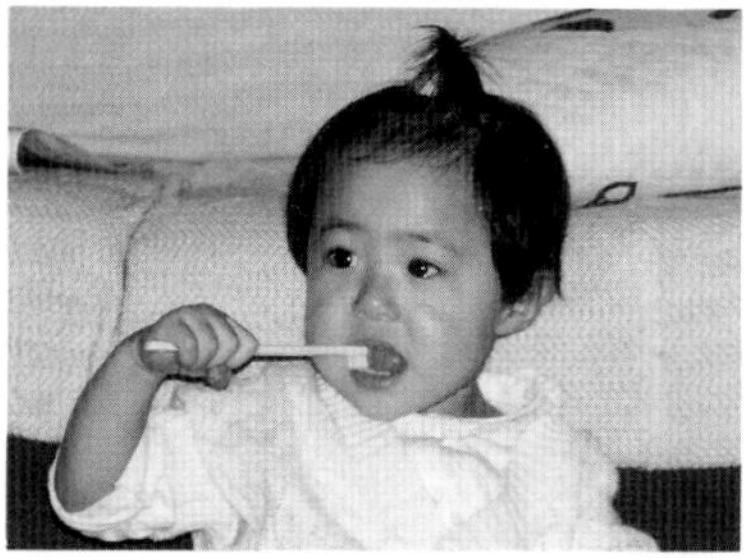

歳になると、心の中の〝対〟は、〝大きい―小さい〟〝多い―少ない〟などの、比べる力と比べることばの理解に発展していきます。

この力は数の概念を獲得していく基礎になるともいわれています。確かに、〝大きい―小さい〟などがわかり始めると、「ひとつ」と「ふたつ」がわかるようになり、そして3歳で「みっつ」、4歳で「よっつ」へと、数の認識は発達していきます。

本当はこの力が獲得されると、欲張っているだけではない、少しの我慢ができるようになるはずなのですが、どんなに友だちに「あげない」と言い張っても、おとなが「大きいのじゃなくて、この小さいのあげたら」などと心の整理をてつだってあげると、ちょっとの我慢をしてくれるかもしれません。

〝大きいのと小さいの〟〝全体と部分〟などを区別してとらえられる力が、心に〝少しなら我慢できる〟力を呼び起こしてくれるはずなのです。

大きい自分になりたい願い

このような認識が獲得される頃、不思議と自分より小さい友だちに心をひかれるようになり、おもちゃをプレゼントしたり、着替えをてつだってあげようとするでしょう。決して上手にはできないので、小さい子を泣かせてしまったりするのですが。それは、〝小さい自分〟ではない〝大きい自分〟になりたいと心で叫び続けている姿です。

そんな前向きな願いをもちながら、この時期の子どもたちには親を悩ます新しい問題があふれ出てきます。一つは、しつこいくせやこだわりです。指吸い、爪かみ、吃音《きつおん》、チックなど70%以上の子どもたちに見られるようになるといわれます。あるいは、〝この絵本〟を読んでもらわないと眠れない、〝この枕や人形〟がないと眠れないというような儀式的なこだわりもつよくなるかもしれません。

もう一つは、大好きなおやつなのに、誘われても「いらない」と叫び、大好きな散歩なのに、「いかない」と意地を張る反抗期の姿です。

ともに生活するおとなから見た〝困った〟行動の多くは、子どもにとって、そう表現するしか方法のない〝心のメッセージ〟なのです。心の中にある悩みや葛藤を自覚し、ことばで表現できるなら、こんな手段は必要ないでしょう。それができないからこそ、〝やめようとしてもやめられない〟くせ、こだわり、

そして反抗が現れてしまうのです。

子どもが賢くなるのも、本人にとって決して楽なことではありません。新しい力が新しい悩みを生んでいるのです。それは、「大きい自分になりたいけれど、なれるだろうか」という自分への問いであり、同時に「私の賢さわかってくれる」という、自分とともに生活するものへの問いと言ってよいでしょう。

子どもが〝心のメッセージ〟を発信し、求めているのは、〝大きい自分〟です。その願いが満たされないときに、心の空洞を埋めるために、くせや儀式が必要になるのでしょう。そして、言いたいのに言えない悩みが吃音を生み、チックになることもあるのでしょう。

〝大きい自分〟を自分で実感でき、他者からも認めてもらえるなら、〝やめようとしてもやめられない〟行動は、やがて潮が引くように遠のいていくのです。

引っ込み思案

比べる力の獲得は、いろいろなところで新しい悩み、葛藤を生んでいきます。公園で友だちに出会い、〝新参者割り込みの原則〟まで発揮していた子どもたちでも、友だちの中に入ることを過剰にいやがったりします。保育園に通っている子どもたちは、集団に入ることや、仲間の中で返事をすることに臆病になったりします。そんな引っ込み思案さが、目につくようになる子どもも少なくありません。

実は、比べる力の獲得が、友だちとの力関係、自分の力や自分へのおとなの評価を感じる心を引き出すようになったのです。だから、できない自分を感じたり、そのできないことに注目しているおとなのまなざしを感じることがたまらなくつらいのです。そんな心をかかえて集団の中でがんばっていくことは、本当に勇気のいることでしょう。しかし、この悩み、葛藤は避けて通るべき障壁ではありません。正面から乗り越えていくことが、やがて自分への信頼に通じていく自分づくりの登竜門なのです。

〝自分らしさ〟を求めて

保育園の集団の中で、たとえばリズム遊びのような活動にだんだん苦手意識をもち始め、みんなと一緒にホールへ移動できない子がいたとしたら、どうしたらよいのでしょうか。そんなことが何日も続いたら、保育士さんはどんなことばをかけてあげるでしょうか。

「○○ちゃんリズムいやなの。でも○○ちゃ

んのトンボさんて、とてもやわらかそうな羽根で大好きよ。きっと他のも上手にできると思うから、一緒にやろうね」と言えば、リズムと聞いて真っ暗だった子どもの心に、光がさし込み始めるでしょう。そんなおとなのまなざしとことばのもとで、子どもは自らへの信頼をだんだん築いていくのです。

これは、決して〝ほめて育てればよい〟、〝苦手なことにはふれず、得意なところだけを認めればよい〟ということではありません。その子にとって得意ではなく、いやなことの中にも、その子らしい輝きがあるはずです。それを具体的に見いだし、子どもと一緒に見つめ合っていきたいと思います。それは、本当の〝その子らしさ〟を見つめる目を、子どもの中につくることになるでしょう。おとなには、〝本当のほめ上手〟とは、どんなことなのかが問われているのではないでしょうか。子どもが求めている〝大きい自分〟とは、〝自分らしさ〟に満たされることでもあるのです。

よりよい自分を選びとりたい

もちろん、引っ込み思案さだけが目立つ3歳児ではありません。公園でも、保育園でも、おもちゃのとり合いに端を発する〝けんか〟は絶えないことでしょう。家庭では、辟易するきょうだいげんかの連続でしょう。親は一日を振り返ってみると、けんかの仲裁や両成敗ばかりをしていた自分に気づき、自己嫌悪で終わってしまうこともあるでしょう。

そんなときは、我慢が効かず手や足ばかりが先に出ると思っていたわが子の姿を、少し距離と時間を置いて見つめてみましょう。1歳児のようにすぐに嚙みついたり、つかみかかったりしているでしょうか。そこには必ず一瞬の我慢と葛藤を垣間見ることができるはずです。仮に友だちのおもちゃを奪いとってしまっても、「わるいことしたなあ」という気持ちがあるからか、いつまでも相手のことが気になり、そのおもちゃで遊びきることはできません。

3歳児、それは〝わるい自分ではない、よりよい自分〟を選びとりたい葛藤の中で、自分と向かい始めている存在なのです。

そう思うと、少しやさしい気持ちで聞きわけのないわが子と相対せる気がするでしょう。そのやさしい気持ちが三日坊主であったとしても、決してもとどおりの親に戻るのではありません。「本当は、我慢したかったんだよね」、「本当は、ごめんねって言いたかった

んだよね」、「わかっているからね」などと、子どもの心のことばを聞きとれる親に、一歩近づいているはずです。

矛盾を乗り越える3歳児

2か月頃の子どもたち、そして8か月頃の子どもたちがそうであったように、この3歳児も〝大きい自分、よりよい自分になりたい〟願いから生まれた矛盾を乗り越えていくことによって、新しい主人公に生まれ変わっていきます。〝光輝く4歳児〟と言われるのは、こんな矛盾を解決してきた自信あふれる姿です。〝はじめてのお使い〟、〝はじめてのお留守番〟に挑戦したくなるのも、自分の可能性への信頼を築き始めている姿なのです。そして、人前で親が恥ずかしくなるほど汚いことばを連発するのも、新しい主人公への生まれ変わりを誇示している姿でしょう。おとながあわてると、いっそううれしくなります。

4歳児は、親とも友だちともぶつかり合いながら、自らの心を見つめ、そしてコントロールしていこうとする自制心を獲得し始めることでしょう。そこには、自分を惜しげもなく表現し、そして他者に要求できる力を育てながら、他者のことばと心を聞きとり、ともに力を合わせていこうとする、しなやかな柔らかい心が生まれているのです。

伝えたいことがいっぱいある

4歳児は、心の中のことばを〝言いたいのに言えない〟で悩んでいた姿がうそのように、お話の主人公として語り始めることでしょう。あふれる思いをいっぱい話したいので、ついついことばは上すべりになるかもしれません。「えーと、えーと」のことばの行進を聞いていると、決してお話の主人公とは認めてあげられないかもしれません。

しかし、「早く言いなさい」、「きちんとしゃべりなさい」はタブーです。だれよりも子ども本人が、〝早く〟、〝きちんと〟と願いつつ、そうできないからこそ「えーと、えーと」を使わざるを得ないのですから。

せっかく大きな矛盾を乗り越えてきた子どもに、新たな矛盾を自覚させるよりも、伝えたいことがいっぱいある心を受けとめてあげたいと思います。〝聞きとること〟の大切さを胸にきざんで、子どもの伝えたい世界で一緒に遊んであげられたら、きっとおとなにも、ふだんの心では見えないものが見えてくることでしょう。

写真は乳幼児グループの子どもたち

生活
自分でするよろこび

津守 真

子どもが、朝、元気に目を覚まし、笑顔を向けるときは、おとなにとって幸いなときである。その恵まれたときを一緒に味わうところから、育てる仕事は始まる。子どもは新鮮な眼で周囲を見回し、自分がしようと思うものに手を伸ばし、思うことに向かって足を一歩踏み出す。余念なく打ち込む子どもの姿には、かわいらしくも尊厳さを感じさせられる。小さくとも子どもはひとりの人格である。

子どもとくいちがったとき、たがいに意地を張ったり、いら立ったりするのはやめよう。親子ともに柔軟な心を育てることは、個々の能力をつけるよりも大切である。

子どものすることはいたずらのように見えても、子どもにとっては意味がある。そこには成長するための種子がある。子どもが望むことを実現できるように手助けしよう。心の底からしたいことが湧き起こるのには、時を必要とする。ゆっくりとつき合ううちに、子どもの心のうちに静かに自分自身の意志が生まれる。

伸びる 育つ 子どもたち

小さな子どもと暮らす毎日には、子どもがキラリと輝く場面がたくさんあります。できないことも多い中で、やりとげたうれしさに自信をつけ、人への思いやりを育てていくようすをごらんください。

自分でしたい！

〝自分でしたい〟という場面が増えてくる。散歩中、坂道でも階段でも、手助けしようとする母の手を払いのける。食事も着替えも、手を出されるのを拒否することが増える。さすがにどんどん上達する。　上仲耕太　1歳8か月

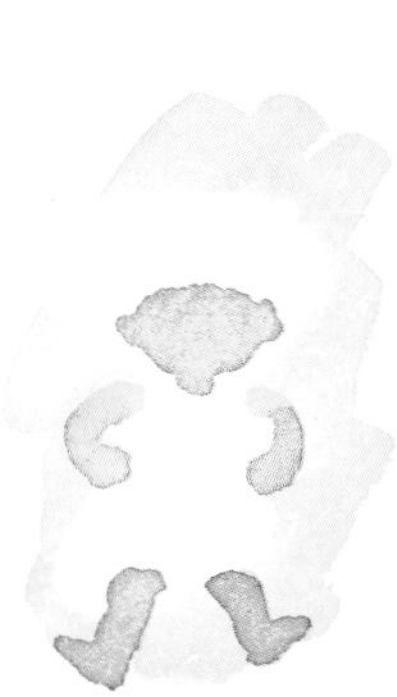

何でも自分で。自転車やカーシートのベルト、おまるにうんちやおしっこをした後自分で流し、きれいに拭いてもとどおりにセット、ビデオの操作も。失敗も多いけれど、上手にできるとうれしそうに抱きついてくる。　大岩廣世　2歳2か月

何でも自分でやりたい病の再発。「じぶんで！」と言って、身の回りのことはもちろん、鍵開けや掃除、洗濯など何でもやりたがる。少してつだわせれば気がすむという生やさしいものではないので、一緒に楽しむつもりで、のんびり家事をしている。　熊井　翔　2歳2か月

トイレや歯みがき、着替えなど、日常のことを自分ひとりでしたい。自分でできるという気持ちがつよい。母や兄を見ていて、負けたくないという気持ちもあるらしい。　平出拓也　2歳10か月

あるきっかけで

200m先の店まで転ばないで歩く。抱いてほしくなったとき、近所の人に声をかけられると、またしゃんとして歩き出す。　樋渡勇太朗　1歳4か月

自転車の乗り降りがひとりでできた。いつも母がしてやっていたが、父が「やってごらん」と促すと、しぜんにできたとのこと。本当はひとりでできるのに、母が甘やかしてしていることが、ほかにもあるのだろうなと反省。　佐藤史明　2歳8か月

誕生日を迎えたのがとても大きなできごとで「3歳（だ）から、自分で着る」。「3歳からベビーカーもうのらない」といった具合に、3歳になったことに誇りを感じているようです。　黒河みさ紀　3歳

父が長期出張から帰ると、今までできなかったことを張りきってするようになる。たんすから服を出して着替える、トイレ、歯みがきなど。　壺井康仁　3歳10か月

行きつもどりつしながら

2歳のお誕生日をすぎた頃から急に自分の布団、枕を使い「ママあっち」と母を別の部屋に行かせる。でもすぐに泣いて呼びにきたり。大きい子らしくなろうとしているのかな。　平松優香　2歳

ひとりでできるようになったことにうっかり手を貸すと「ひとりで」とピシャリと断られることが多くなった。急いでいるときに靴など脱がせると、怒っても

う一度やり直し。自立心の芽生えの反面、甘えたい気持ちがつよくふき出るときもあるようで、行きつもどりつの成長。

豊田　圭　2歳3か月

「おふろ入らない」「お片づけしない」自分のやりたいことしかしたくない！　泣きわめいたり、手のつけられないことが多い。ある部分、急におとなびたかと思うとこんなところもあって、平均すると3歳なんだろうな。

松村航太　3歳6か月

キャンプの晩に2段ベッドの2階にひとりで寝たり、短い間1歳半の妹と留守番したり、プールで顔を水につけたりと、少しずつ自分の力に自信をもち始めている。それでも甘えたい気持ちもまだいっぱい。母に手をかけてもらうことを、まるで妹と張り合っているかのようなときもある。

山根みどり　4歳

がんばる　乗り越える

パジャマのボタンをはずせるようになり、時間はかかるけれど一生懸命がんばる。脱げると大満足。「ほらひとりで、自分ひとりで…」と家族みんなに報告。ひとりでできることが少しずつ増え、それが香菜子の〝自信〟につながるのだと思う。父母、兄はそばで見守り、ほめる。

夏目香菜子　2歳2か月

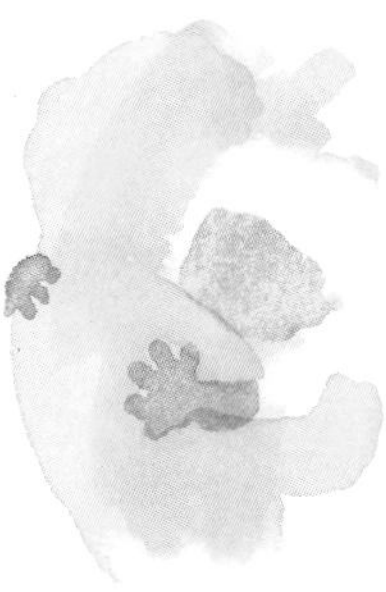

朝や昼寝の後は、とにかく「だっこだっこ」とせがみ、しばらく離してくれないが、ときどき「もう、おちゃわん洗っていいよ」と、自分から下りようとがんばってみることもある。

福木　哲　2歳7か月

つい2週間前まで、母の周囲2m以内から出ることがなく、ごみ捨てでも待てなかったが、突然母から離れる。公園でもずっと向こうの木の陰で友だちと30分以上遊んだり、ごみ捨ても「待っとくよー」と明るく言う。何がそうさせたのかわからないが、むずかしい混乱した2歳後半の時期を乗り越えて、今があるのだとしみじみ思う。

山手智志　3歳1か月

我慢も思いやりも…

母が長椅子でうとうとしていると、自分の毛布を持ってきてかけてくれたり、くしゃみをするとティッシュをとってくれる。姉（3歳）が泣き出すと頭をなでる。頼もしい後ろ姿は赤ちゃんから幼児になりつつある。

須藤有香　1歳4か月

祖母を亡くした。母が「寂しいね」とつぶやくと「綾ちゃんがいるから大丈夫」と肩をポンポンたたいて励ましてくれる。

森　綾子　2歳8か月

おそく帰った父が食事をしている。そのひざに乗り、母が注意をすると「だってお父さん、ひとりでごはん食べるの寂しいでしょう！」。父は、それはうれしそうな顔でした。

楫　麻莉子　3歳4か月

弟が病気の間、母がかかりきりだったのに文句も言わず、ひとりで食事をすませ、入浴もし、着替えて絵本を持って2階へ上がり、自分で絵本を眺めてお祈りもして眠ってしまった。そのけなげさに母は涙が出そうになりました。弟が回復したとたんに母べったりになる。我慢してたのね。よしよし。

坂本直香　3歳9か月

〃自分でしたい〃が始まったら

誇り高い2、3歳児との生活

尾関夢子

まねて、見立てて、選ぶの大好き

子どもは2歳前後から、身の回りのことを自分でする力をどんどん獲得していきます。

2、3歳児は、発達からみると模倣して育つ時代で、第一にまねが好き。大好きなお父さん、お母さんが何をしているかなと、とてもよく見ています。家族みんなが食事の後には歯をみがき、おふろでシャンプーして、と生活していれば、子どももしぜんにやりたい気持ちになってきます。

次に、見立てるのが大好きな時期ということ。シャンプーをいやがるときなどは、泡のついた髪を立てて「〜みたいね」などと、遊びの要素をからませれば喜んでするでしょう。

三つめは、二つを比較して選ぶのが好きなこと。おふろの後、「パジャマを着ましょう」と言ってもいやがるとき、「どっちのパジャマがいい?」と2枚見せると「こっち!」。「どちらのお手々から出てくるかな?」というと「こっちのお手々」……。自分で決めたという気持ちで、満足するのでしょう。子どもが選ぶ機会を、できるだけ多く与えてやりましょう。

生活の力を身につけるのは、手指の発達や認識の力と深く関係しています。たとえばボタンはめは、片手で服を押さえてもう一方で穴にボタンを通すという、左右別々のことをしながら、一つの仕事にまとめる手の技術がいります。これはブロックをつなげたり、はさみで切ったりというような遊びの中で発達してきた手の力が生かされるのです。

「こっちが前ね」と言って、Tシャツが着られるのも、前と後ろ、表と裏といった〃二つ〃の世界を認識できるようになったからです。ここには豊かな遊びや生活を体験しながら、手の力がつき、知的な認識が育っていくという、相互の発達があります。

また、自我の発達とも切り離せません。ボタンをはめるのは、着るためだけではなく、〃自分でできる〃という自信や満足感とからんで、誇りを得ていくことでもあるのです。おとなはできてあたり前と思うのではなくて、喜ぶ子どもの心に共感して「できたね!」

と、その誇りを支えてあげましょう。また、一度できたらもうできるようになった、と思い込まないように。できる、できないには波があることを覚えておきましょう。

生活リズムは〝見通し〟の力を育てる

子どもでもおとなでも、外から帰ってきたら手を洗っておやつにする、など生活の流れが決まっていると、行動しやすいものです。2、3歳児は〝何時になったら何をする〟という時間の感覚はまだわからず、〝これをしたら次は何〟と、順番や段どりで記憶しているので、規則正しい生活によって、次にすることへの見通しの力がついていきます。

おとなの都合で、いつも順序がまちまち、始まる時間も大きな差があるとどうでしょう。子どもには子どものつもりがあって、食事がおそいから遊び始めたのに、「さあ、ごはんができたから」と言われても、すぐには気分が乗らないことがあります。つまり、生活に一定のリズムがあると気持ちも安定しますし、自分から進んでできることが多くなるので、「早くしなさい」とせかすことばも減り、親子の関係もちがってくると思われます。

しかし、いくら規則正しい生活をと思っていても、実際には来客があったり、体調がわるかったりと、思いどおりにいかないのが毎日の暮らしです。決めるのは大まかな基本時間ぐらいにしておいて、予定どおりにいかなくても、くよくよしないことです。親がこういう生活をしたいという願いをもっていれば、またよい生活リズムにもどすチャンスも見つかるでしょう。スケジュールに幅をもたせるゆとりのさじ加減は、一人ひとりのお母さんにまかされています。毎日の生活に何をどのようにとり入れるかを自分で判断していくことで、母親自身にも知らず知らずのうちに主体性が培われると言えるでしょう。

子どもの心に共感して

こうして身辺自立の力を得ていく中で、どこまでおとなが手を貸すかはむずかしいところですが、親が無理じいするものではなく、子ども自身のことは〝子どもが主人公〟であることを忘れないようにしましょう。大事なのは、子どもはどう思っているかを考え、その気持ちを思いやることです。

また、遊びやおしゃべりを通して、子どもと気持ちをかよわせる時間を1日1回はもつということを、心がけておきたいですね。心の共感が身辺自立の土台にもなるのです。

こうして、何でも〝自分でしたい〟時期をへて、身の回りのことがほぼできるようになった4、5歳児は、次の段階へと世界を大きくひろげてゆくのです。

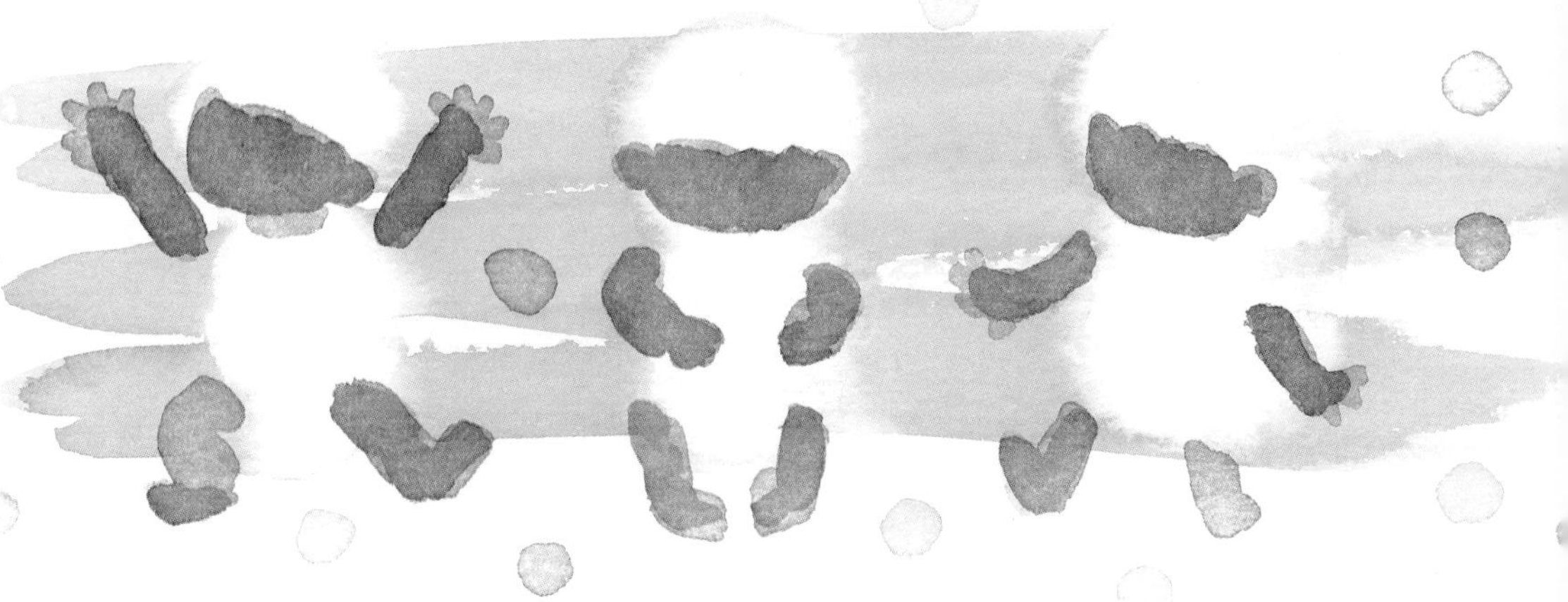

手を洗う

手洗いもうがいも、外遊びから帰ったときや食事の前に親子で続けていると、子どもも、自分で進んでするようになります。

子どもはもともと水遊びが大好きですから、興味をもったときに、どうすればきれいに洗えるかを順序よく教えると、それを楽しんでするでしょう。

汚れた手を「きれいきれいしましょうね」と言いながら洗ってやっていました。すると今日、植木鉢につっ込んで汚れた手をじっと見つめて、「あー、あー」と母に差し出しました。

楫　麻莉子　1歳1か月

ひとりで手を洗う。母が不充分と思って、もう一度洗ってやると、「どうして2回するの？」と怒る。子どもながらに、ひとりでできるんだというプライドを傷つけられた気がしたのだと思う。

堀江　聡　3歳7か月

うがいをする

船井明日香さん（3歳4か月）は、毎食後にブクブクうがいをします
ごちそうさま 明日香うがいできるんだー！
1
明日香のは ウサギさんのコップ！
2
閉じた口の中で水をあっちにやったりこっちにやったり
ガラガラうがいは上を向いてあーっと声を出します
アーッ
3

ムシバキン バイバーイ
ペーッ
4
ブクブク ペーは 3回よ
これで おしまーい！
5
聞こえたわよ
うがい おわったよ ブクブクって 聞こえた？
6

うがいには歯の汚れを落とすブクブクうがいと、喉の粘膜の雑菌を洗い流すガラガラうがいがあります。ブクブクうがいが上手にできるようになるのは、2、3歳。ガラガラうがいは4歳頃です。うがい薬は、子どもは飲み込んでしまうので、水だけがよいでしょう。

父と並んでうがいの練習。なかなかうまくいかず「ペーッ」だけ言っている。　松田佐和子　1歳8か月

ペーッ
上を向いてガラガラとうがいしてペッと出すことができるようになる。親がするのをよく見ていたらしい。でも、おみおつけでもお茶でも何でもうがいをしてから飲み込むので、少し困っている。　斎藤太郎　2歳

ガラガラ
ゴク

歯をみがく

歯をむし歯から守るために大切なのは、規則正しい食生活（本社刊『はやね　はやおき　四回食』参照）と歯みがきです。よく噛んで食べたり、食後のブクブクうがいや、水やお茶を飲むことも効果があります。

親が歯をみがいていれば、1歳頃にはしぜんに子どももまねて歯ブラシを持ち始めます。まだきれいにみがけないのですが、よい習慣をつけるために、親子で食後の歯みがきをするとよいでしょう。

3歳をすぎたら、みがく順番を教えます。上前歯の外側や上奥歯の外側をみがくのはむずかしいので、鏡を見ながらするとよいでしょう。歯みがき剤は、つけなくてよいのですが、子どもがつけたがるようでしたら、ブクブクうがいができるようになってからです。

まだうがいができず、歯みがきのペーストは使っていない。母が歯をみがくとき、息子の前で楽しそうに鼻歌まじりでするると、鏡をのぞくようにして一緒にみがき、仕上げもさせてくれるようになった。　村松拓真　1歳3か月

夜はお母さんもてつだって

前歯が上下生えそろった頃から、1日1回夕食後に、おとなが歯みがきの仕上げをするとよいでしょう。しかし、自分では喜んで歯みがきをしても、仕上げはいやがる子が多いようです。

また、口は食べものをとり入れ、ことばを話す大切な器官です。そこに、歯みがきに熱心になるあまり、お母さんが歯ブラシをつっ込んで痛いほどみがいたら、子どももいやがるでしょう。お母さんはこうしたことを頭において、やさしくやわらかく扱うことが大切です。

姿勢は、おとなのひざの間に頭を置いて寝かせ、安心して寄りそうようにするとよいでしょう。仕上げなので歯みがき剤はつけないで、歯ブラシがあたって痛い思いをさせないように、唇を軽く指で持ち上げて、小さく軽く動かします。

幼児は奥歯の噛み合わせの部分と左下奥歯の外側程度しか充分みがけないので、汚れの残っている①右上奥歯の外側②上前歯の外側③左上奥歯の外側を、まず先にみがきます。6歳頃に生える一番奥の臼歯がみがきにくいため、小学校低学年まで続けられると理想的です。

どうしてもお母さんの仕上げをいやがるときは、甘いものをだらだら食べたり飲んだりすることが一番むし歯をつくる原因となるのですから、食生活に気をつけ、食後にお茶や水を飲ませたり、うがいをさせるとよいでしょう。（野間歌子）

食べかすをティッシュにとり、「こーんなのがついてたよ」と見せたり、口をゆすいだ水に混ざって流れていくのを見て「よかったね」と安心したり…。　小杉直美（娘7歳、6か月 息子4歳、2歳）

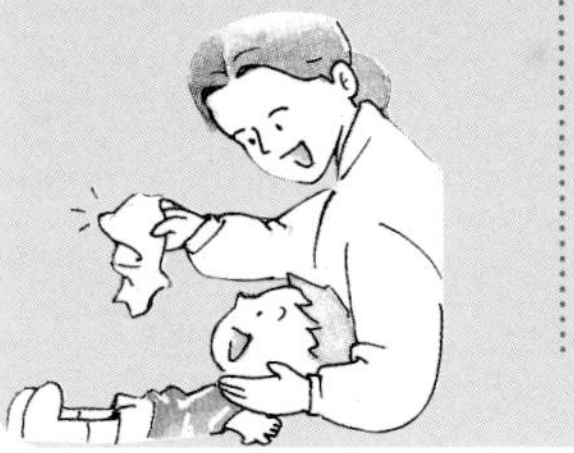

歯科検診で歯のみがき方がわるいと言われ、夜だけはタイマーで「ピピピ…」の音がするまでみがくことに。最初は3分だったが、足りないので今は4分。　井上泰子（息子5歳、2歳）

いやがらずにみがかせるためのさまざまな工夫の歴史。
1、母の鏡台の椅子を「歯医者さんの椅子だよ」
2、「あっ、ムシバキンが、歯にくっついたケーキを食べています」お話の間、おとなしく口を開けている。
3、お気に入りのぬいぐるみを先にみがくと、自分も素直に歯みがきをさせる。
加藤直子（娘2歳）

あっムシ歯キン

◆むし歯になりやすいところ

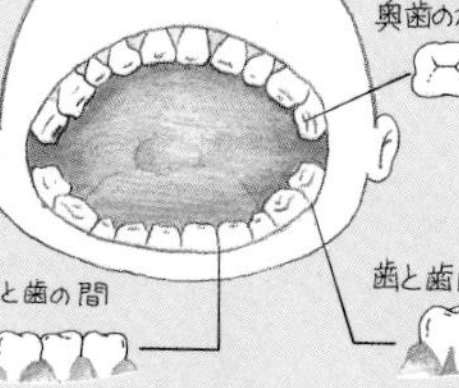
奥歯のかみ合わせの溝
歯と歯の間
歯と歯肉の境目

◆歯ブラシ　子どもはすぐ噛んでしまうので、1本は仕上げ用歯ブラシに、2本用意します。子ども用は幅広な柄、仕上げ用は鉛筆の持ち方で持ちやすいものを。

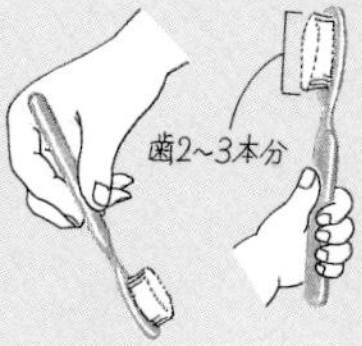
歯2～3本分

歯みがきが大好きに。2歳前まで苦手だったが、この頃は親をまねて一生懸命にする。「自分で、自分で」と言いながら、自分でできる喜びを感じているようだ。　牧野理慧　2歳3か月

使いやすい洗面所の工夫

●目の高さに合わせた鏡

自分で手を洗えるようになってから、鏡を目の高さに合わせてセット。歯みがき、洗顔、食後に口のまわりを拭くなど鏡を見ながら、しぜんに気づいてきれいにできるようになった。馬場麻記子(娘4歳)

●踏み台を用意

洗面所に小さな石けんと踏み台を用意。手洗いをいやがらなくなり、電気をつけることからタオルで拭くところまですべてひとりで。

川崎　泉　2歳10か月

●手づくり踏み台

お父さんがつくった木製の踏み台。子どもが持って運べる重さで、すべり止めつき。２段のものが上りやすいようで、上ると蛇口になんとか手が届く高さです。

二村寛子（娘２歳、３か月）

牛乳パックの上の部分を切りとり、二つを完全に差し込んで丈夫にする。これを９個〜12個つくってガムテープで固定し、周りにビニールの壁紙を貼る。２歳前から愛用しています。　安斉光子（娘２歳）

〈牛乳パックを横に使う場合は、中に広告紙を丸めてつめ、口を平らに閉じる方法を。この場合は、パックを差し込まず一重で。また、上下にダンボールやベニヤ板を貼るとより丈夫になる。〉

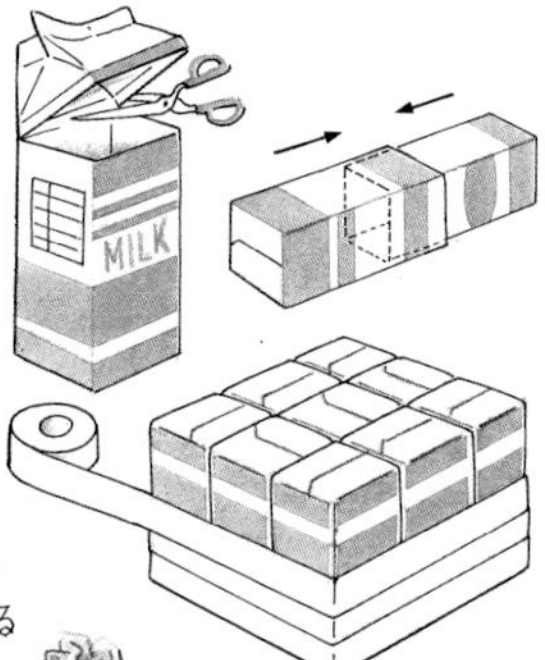

MILK

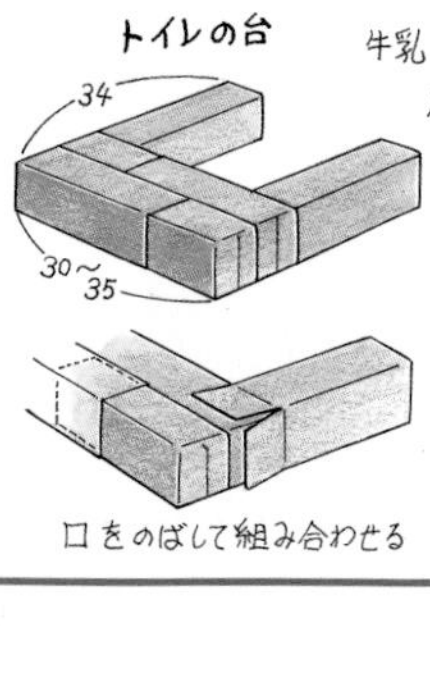

トイレの台
34
30〜35
口をのばして組み合わせる

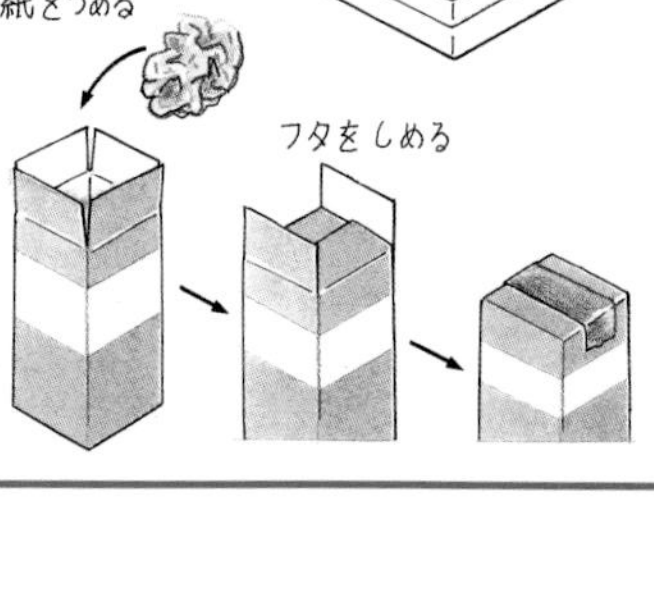

牛乳パックの中に
広告紙をつめる
フタをしめる

●タオルとタオルかけ

外から帰ったらうがいと手洗いが習慣に。しかし、踏み台に上がってもタオルに手が届かず、そこだけ母の手を借りていたことが不満そうだった。専用のタオルかけを届くところにとりつけたらやっぱりうれしそう。早く気がつけばよかった。　山崎あゆみ　２歳11か月

幼稚園のタオルかけと同じように、お手拭きタオルにひもをつけてＳ字フックに引っかける。姉妹色ちがいのものを用意したら、妹もひとりで手を洗い、拭くのも上手になった。　鳥居弘子（娘４歳、２歳）

●石けんは使いやすく

石けんは野菜の入っていた細かい目のネットに入れる。とりやすいし、石けんが小さくなっても、ばらばらになりません。

林　真理子（娘３歳　息子１歳）

着る

2、3歳頃は何でも〝自分で〟したいとき。けれども衣服を着るのはまだむずかしく、やりたい気持ちはあふれていてもできなくて、イライラすることも多いでしょう。

シャツの首の穴に手を入れたり、前後逆に着たり、失敗しながら何度も挑戦しているときに「早く」と手や口を出すのは、かえっていら立ちを高め、やる気をそいでしまいます。時間がかかっても結果が下手でも、一生懸命したことをほめてあげましょう。3歳すぎにはボタンはめやファスナーの開閉なども、かなり上手になります。

着替えやすい衣服を選び、印をつけて前後をわかりやすくするなどのちょっとした心くばりも大切なこと。自分でしたい気持ちを支える何よりの協力です。

また、服を選ぶときは、シンプルで活動しやすい形、肌ざわりがよく、洗濯がしやすい材質などを考慮しましょう。

服を着せようとするといやがり逃げ回る。知らん顔すると、自分で一生懸命着ようとしていた。着せられるのがいやで逃げていたのだ。　金岡桃子　2歳

パジャマのボタンはめができるようになる。時間はかかるけれど、10分寝るのがおそくなってもせかすより待とうと思い、一生懸命はめているのを息をひそめて待つ。日ごとに早くできるようになる。　岸本乃芙子　2歳1か月

「自分でする！」と母の手を振り払っていたが、今では反対に「お母さんやって、ぼくできない」。全部してやるのでなく、「お母さん、一番上のボタンはめたから、次は迪也の番ね」と言うと素直にやり始め、ほめるとうれしそう。

久慈迪也　3歳2か月

パンツをはく

大石真理子さん（1歳10か月）は、自分でパンツがはけます
前を上にして置くのよ リボンが見えている？
1
両足首が見えるまで引きあげます
あんよ こんにちは
2
立って前を引っ張ります
おへそ みえない！
3
おしりも ないないよ
4

Tシャツ

前開きのシャツを着る

浅川洸《たけし》くん（3歳11か月）は、シャツを着るのが上手です
1
背中が上で、すそがボクのほう
2
両手を入れてトンネルづくり
3
あたま 手 もひとつ手
ニューッ

1
えりがボクのほうになるように置いて…
手をそでにズズーッ
2
へーんしん！
両手を同時に持ち上げます
3
片手ずつ出すんだよ
4
ボタンは下からはめると間違えないわよ

お気に入りができる

2歳頃から、服装にこだわる子どもが出てきます。どんな自分でありたいか、子どもなりに理想があるのでしょう。また、服を変えると、自分が変わってしまうように感じていやがるということもあるようです。

気候や外出先などの条件の中で譲れるところは譲り、「これを着なさい」ではなく、二つの物を「どちらにする？」と選択の余地を与えたり、どうしてその服を着たいのか子どもの気持ちを聞くのも、何かのヒントになるかもしれません。

子どもが自由に選んでも、あまりおかしな組み合わせにならないように、ズボンかブラウスのどちらかは無地にするなど、工夫しているお母さんもいます。

トレーナーにハチの絵がついている。朝パジャマから服への着替えをいやがるので、「ブンブンブンハチがとぶ」と歌うと喜んで着替える。それからこの服を見ると「ブンブン…」と歌ったり、絵本でハチを見つけて歌う。

吉武れおね　1歳9か月

♪ブンブンブン

ジャンパースカート ズボンをはく

高橋めぐみさん(2歳11か月)は、ポケットのついた服が大好きです
背中を上にしてすその方から
もぐってもぐって
あたまが出たら手はかたっぽずつ…
ファスナーの下をしっかり押さえて
ジィー

足をむこう、前を上にして置きます
めぐのは前にポケットがついてるの
片足ずつ入れ、足首まで引き上げます
あし、あし…見えた！
立つとき転ばないように気をつけてね
よいしょ
ブラウスどこも出てないよ

スヌーピーのTシャツと、ピンクの半ズボンがお気に入りで、ほかのものを出してくると放ってしまう。結局いつでも同じ洋服を着ることになります。

細越麻子　２歳10か月

フリルのついたワンピースや、裾のひろがったスカートがお気に入り。朝はひと苦労。母の思う服（遊びやすく汚れてもよいもの）は、なかなか着てくれない。

尾上由佳　２歳８か月

お気に入りができる。音の出るしかけのついたスノーブーツが気に入り、外に出るときは、これしかはかない。自分で脱いだりはいたりできるのもうれしい。

斉藤晃士　２歳３か月

楽しく着るための工夫

楽しく

●子ども用フック

玄関に子ども専用のクマさんのフックをとりつけ、帽子、遊び着、ジャンパーをかけた。「おでかけよー」と言うと自分で帽子をとってかぶり、上着を着せてと母にせがむ。帰宅すると、帽子は自分でフックにかける。

村松智津子（息子１歳）

●使いやすいところに

洗濯かごを子どもの目の高さより下においたら、しぜんと脱いだものを入れるようになりました。

吉田宣美（娘３歳）

自分で着やすく

●ボタンと袖口の工夫

ブラウスのボタンは、直径1.2〜1.5cmの大きめのボタンがはめやすい。袖口の小さいカフスボタンははずし、ゴムを通している。

草野直子（娘６歳、２歳　息子５歳）

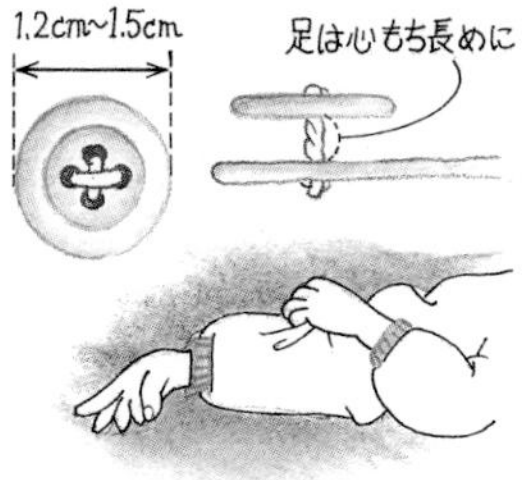

●脱ぎ着しやすいデザイン

ズボンやスカートは、総ゴムのものが体に合いやすく、脱ぎ着しやすい。植屋早苗（息子６歳　娘３歳）

自分でおしっこができるようになったら、上下分かれた服を。ジャージー素材のズボンはずり落ちにくく、脱ぎ着しやすい。

中村紋子（息子５歳、２歳）

着やすいのは、夏はＴシャツ、半ズボン。冬はトレーナーを加え、長ズボン。子どもにとって着やすい服はおのずとシンプルなデザイン。素材は泥んこ遊びも気にならない木綿のものを。

高橋倫恵（息子３歳）

●前に印を

パンツは２歳頃から自分ではけるようになったが、よく前後を間違えるので、前に刺しゅうをした。すぐ間違えなくなり、もっと早くすればよかったと思ったほど。

榊原玲子（娘４歳）

名前のゴム印をつくり名前つけ。顔料系のスタンプインクで洋服や靴に押す。パンツの前もこれで確認。　清水朋美（息子３歳）

●ファスナーに工夫

ファスナーが上げづらそうだったが、父がきれいなひもで輪をつけてあげると、楽に引っぱり上げられるようになった。

斎藤美紀（息子４歳）

はきやすい靴

まだ自分で靴をはけない小さいうちは、足の甲と不安定な足首を深くおおって、ひもなどで締めるデザインの歩きやすい靴がよいのです。自分で脱いだりはいたりし始めたら、前ゴムのズック靴のように足を入れるだけのもの、かんたんなマジックテープ止めのものが、扱いやすいでしょう。

●玄関にすのこ

玄関に段差があるので、押し入れ用のすのこをしいて、そこに腰かけ靴をはいたり脱いだりできるようにした。靴をそろえるのも上手にできる。 鳥居弘子(娘4歳、2歳)

●"5分"の余裕

子どもが自分で靴をはくためには、5分でも余裕をもって出かけるのがポイント。待ってあげる時間がないとつい、てつだってしまう。

諸隈洋子(息子3歳)

●サンダルはバックベルトを

ビーチサンダルには、かかとに引っかかるようゴムをつけたら、脱げにくくなった。

山下淑子(娘2歳、6か月)

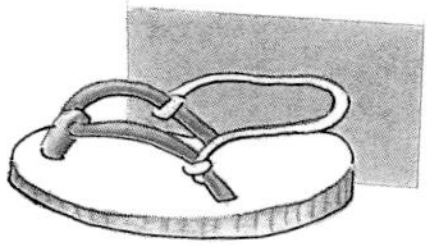

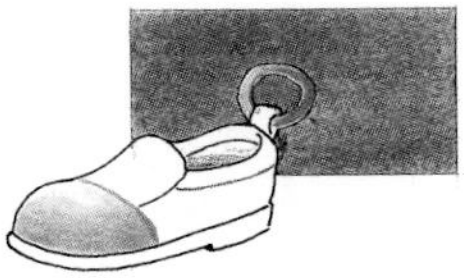

●かかとのつまみを大きく

かかとのつまみに柔らかいひもで小さい輪をつけておくと、ひとりではきやすい。 柳武由美(息子1歳)

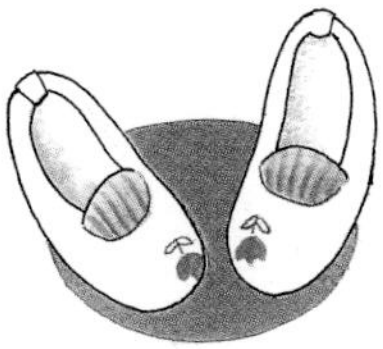

●左右のしるし

靴の左右をよく間違える3歳の頃、内側にマジックでチューリップを描き「チューリップこんにちはしてはこうね」と声をかけていました。 飯野幹子(娘4歳 息子2歳)

着替えを

●着替え袋

2歳を少しすぎた頃、朝の着替えをいやがって困った。そこで前の晩に、大きめのハンカチに次の日に着る服を包んで「お着替え袋」をつくり、枕元において寝たら、すんなり着替えるようになった。

加藤直子(娘2歳)

●引き出しに仕切り

牛乳パックなどで、たんすの引き出しの仕切りをつくった。シャツ、パンツ、くつ下など、くるくる丸めて入れておくと、とり出しやすいらしく、この引き出しを開けてひとりで用意することができます。

杉山玲子(息子10歳、3歳)

体を洗う

杉原岳くん（3歳3か月）は、お母さんが手に火傷をして以来、自分で体を洗うようになりました。上手にできないところは、お母さんがてつだいます
※湯加減は入る前に確認を！
ぼく、ひとりで
ちゃーんと洗えるよ
おーい 服は
洗濯かごだよ
1
体にお湯をかけ、汚れや汗を流します
ジャボ
2
タオルに石けんを
つけて、上から
下へ洗うのよ
くび
いちばーん
キュッ
キュッ
3
次はうでよ
ひじも
きれいにね
コシ
コシ
4
かたて
バンザーイ！
5
むねグルグル
おなかもグルグル
6

おふろはお父さんやお母さんと一緒にゆっくり入って、心も体も温まる場所。今日あったことを話したり、歌って声が響くのをおもしろがったり、水遊びを楽しんでいます。

親や兄姉が体を洗うのを見ているうちに、自分で洗いたいという気持ちが育つようです。子どもが自分でするとと、時間もかかり、すっかりきれいにはならないこともありますが、親も気持ちのゆとりをもって、洗い方を教えたり助けたりしていると、しだいに上手に洗えるようになっていきます。

入浴前には湯加減をみるのを忘れずに。熱すぎると、おふろ嫌いの原因にもなります。幼児は、ひとりで入るのは危ないので、一緒に入るか、必ず見ていましょう。

入浴のとき、今までは湯船に立ったまま入り、母が肩に湯をかけていたが、この頃「肩まで肩まで、素子ちゃん肩まで」と歌うと、中腰になり肩までつかる。うれしいのかにこにこしながら。また、手ぬぐいをしぼるまねをして体を拭いたり。　奥村素子　1歳7か月

♪肩まで 肩まで

肩と背中は
タオルを長くして
タオルの
ヘビだぞー
腰とおしりはタオルを
右、左に動かして
おしりに
とうちゃーく
足はタオルをたたんで。足
の裏はこしかけて洗います
あら？ひざの後ろに
あわがついてないよ
わすれ
てた
顔も石けんで
洗ってみようか？
やだー
目が痛く
なるもん
無理にさせること
ないわね…
がっくんの20は
超特急だね
1 2 3 4
5、10、20！
数えたよ
しぼったタオルで体を
拭いて水気をとります
体を拭いた
タオルを
ゆすぐわね
今日は
ぼくが
しぼる

最後にバスタオルで仕上げ拭き
がっくん
ぜーんぶ自分で
したね

姉が積極的に体洗いをするようになったので、千代もまねしてタオルをしぼったり、手足を洗う。顔も拭いて「ちょ、ぴかぴか、きれいになっちゃったー」。　石村千代　2歳9か月

おふろで日課のように、母と姉の背中を洗う。自分の体を洗うのも上手になった。姉のおさがりのシャワーキャップをかぶって一人前です。
青名畑なつ美　2歳3か月

楽しいおふろの工夫

●赤ちゃんと一緒に入るとき

下の娘をおふろに入れるときは、脱衣所にバスタオルをひろげたかごを用意しておく。出たらそこに寝かせてタオルにくるみ、母の着替えをすませます。

勝又雅子（息子４歳　娘４か月）

レンタルした折りたたみ式の赤ちゃん用ネット椅子は、そこに赤ちゃんをすわらせ体を洗ったりできるのでとても重宝した。また、つかまり立ちをするようになってからは、柔らかいマットをしいて、すべらないようにした。

井田万希（息子１歳）

浴槽にひとりで入れると危ないので、ひとりを洗っている間、もうひとりは小ぶりのたらいに湯を入れてすわらせておいた。

坂本美枝子（息子５歳、２歳）

●おふろタイムの〝小道具〟

タオルの風船（ふくらませてブクブク）や、プラスチックの容器で遊ぶ。気分転換になるものを持っていくと「おふろ入ろう！」というひと言で「入ろう、入ろう」。気分の乗らない日もありますが…。

池川陽子（息子８歳、６歳、２歳）

おふろで好きなのは、シャンプーの空容器を使った水鉄砲、母の足を使った湯船でのすべり台。

佐々木左江子（娘９歳、３歳）

●お父さんと一緒

ふだんは父が入れます。母だと体をきれいにするだけになりがちですが、父は湯船で一緒になって遊んでくれるので、子どもも楽しいし、父もその時間を楽しみにしています。楽しく遊んでさっぱりして、父子ともほかほかに温まって出てきます。　柳武由美（息子１歳）

おふろの中から、いろいろな歌が聞こえてきます。歌を歌ってあげると、おふろが好きになります。

依田亜紀子（娘１歳）

●自分で洗うために

子ども用の小さな椅子と桶を買ったら、その日から自分で洗うようになった。背中だけ洗ってやるが、あとは自分でする。スポンジに石けんをつけて泡を出すのがおもしろいようで、よく洗う。

原　淳子（娘２歳）

「ぼくもひとりで洗いたい」と言ったので、スポンジを浴用タオルに替えました。今は冷水まさつの要領で洗っています。

佐々木香保（息子６歳、４歳）

子どもの浴用タオルは、旅館でもらうような薄手のタオルがぎゅうっとしぼりやすい。

川上和美（息子７歳、４歳）

おとなの浴用タオルより、長さも幅もひとまわり小さめのタオルが便利です。　馬場麻記子（娘４歳）

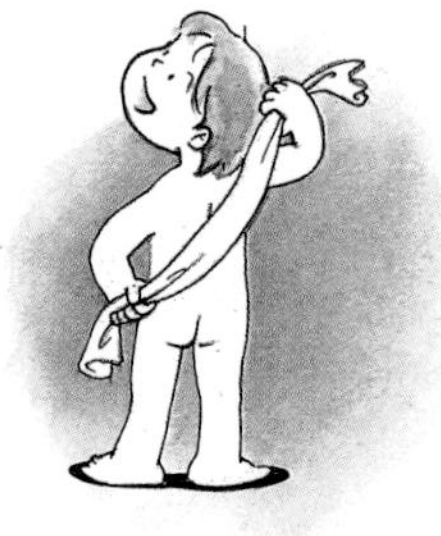

シャンプー嫌いの子どものために

お母さんの記録を見ると、シャンプーは2歳前でも平気な子もいれば、4歳になっても嫌がる子もいます。「水が顔にかかる」「シャンプー液が目にしみる」などが主な原因のようですが、それを我慢するのはおとなが思うよりずっと困難なことのようです。〝自分でシャンプーしたい〟が始まるまでは、子どもがいやがらないことを第一に考えましょう。大きくなってシャンプーができない子はいないのですから、あせることはありません。シャンプー嫌いの子どもたちにいやな思いをさせないための、お母さんたちの工夫や励ましをご覧ください。

●泡で〝ヘンシーン！〟

鏡の前で、泡のついた髪を「バイキンマン」「ドキンちゃん」「ちょんまげ」と、角のようにしてやると大喜び。泣かずに洗えるようになった。　金岡　薫（娘3歳、1歳）

〈顔がぬれているとシャンプー液が目に入りやすいので、顔をさっと拭いてから洗い始める。後頭部から前の方へ…〉

●祖父のひと言で

祖父がひと言、洗い髪を「お姫様のようだ」と言った日から一変。自分でシャンプーし「お姫様だよー」と大声で言いながら、にこにこ顔で上がってくる。

鈴木杏奈　2歳5か月

●ほめながら…

頭の上から少しずつシャワーをかけ、「きれいになったね、おりこうさんでした」とほめると、日に日にぐずらなくなり、今では泣かない。ほめることがこんなに効果的だとは思わなかった。

河島　舜　1歳1か月

●タオルを持って上向きで

長女は2歳頃、顔にお湯がかかっておふろ嫌いに。父が作詞作曲！の歌で誘うが、頑強にいやがる。乾いたタオルを持って、上向きに立たせて洗うと顔にかからず大丈夫に。

岡部敏子（娘6歳　息子3歳）

●うつむきのとき

息を吸ったとき鼻から水が入らないように「下を向いて、目をつぶって、口を開けて」と声をかけてから、シャワーでザーッと流す。

林　真理子（娘3歳　息子1歳）

●シャンプーハット

「雨ジャーになるよ」と言いながら、シャンプーハットをかぶせたら、「雨ジャー、雨ジャー」と水が流れてくるのを楽しみに。雨の日の外遊びを思い出すよう。

比嘉信仁　2歳3か月

●湯冷め防止に

夏から始めた水かぶり。上がった後、いつまでも温かく皮膚も丈夫になるようです。

飯野幹子（娘4歳　息子2歳）

〈はじめは、ぬるめのお湯で足先から始めて、だんだん上にかけていきます〉

おふろは1階の祖父母宅。着替えは2階に置いておくので、つくったポンチョ。バスタオルを二つ折りにして、輪の部分に首の開きをつくって綿テープでくるみ、脇を、手の出るところをのこして縫う。これを着て2階に上がる。

佐藤聡子（娘7歳、2歳　息子4歳）

眠る前のひとときを楽しく

昼間、充分遊んだから眠いはずだとおとなは思っても、子どもは暗さや風の音などちょっとしたことで寝つけず、枕や布団の位置にこだわったり、お気に入りのものをさわっていないと眠れなかったり、日中は、仕事や幼い弟妹にかかりきりのお母さんに、寝る前だけはしっかり甘えたくなったりします。成長記録を見ると、誰かそばにいてもらいたいと思うのも子どものしぜんな姿のようです。

こんなとき、無理にひとりで寝かせようとしないで、その子の要求にしっかり応えて、おだやかなひとときをもつことが大切でしょう。おとなの〝心ここにあらず〟は子どもにも伝わるものです。叱ったり心配させたりせずに、満たされた気持ちで1日を終わるのは、子どもにはもちろん、おとなにとっても楽しいひとときでしょう。

「〜して楽しかったね」「今日寝て明日になったら〜しようね」と、こんな会話から、明日へと希望をつなげ、眠れるようにもなり、子どもはいつか自分からひとり寝を始めます。

添い寝も夜泣きもあったけれど…

夏目香菜子さんの成長記録から

1歳4か月　夜中に目を覚ますと、寝ている部屋の外に連れて行ってほしいと泣く。頃合いを見てもどろうとすると、また泣く。本人はとても眠いようすだが、どうしてでしょう。

10か月　寝相がわるいので、いつの間にか布団から抜け出てしまい、夜何度も起きる。そのたびに布団をかけたり、寝つかないときは、抱いたまま布団に入れて添い寝。母はあまり眠れない。

ぬいぐるみと一緒に

夜は母のひざの上で、ぬいぐるみと一緒にお気に入りの毛布に包み込んでほしい。　藤原友紀　1歳10か月

自分の背丈ほどの、クマと一緒に寝る。布団をかけてやり、枕もあててやる。本人は、端の方に小さくなって寝ている。　山谷隼平　2歳10か月

お気に入りのものをさわりながら

母と一緒の布団で母の耳をさわりながら、べったりくっついて寝る。父ではだめで、父親が一番の兄たちとは対照的。　宮下友恵　1歳3か月

今日は楽しかったね…

夜お布団の中で1日のできごとを話してやると、相づちを打ちながら、神妙に聞いている。　石渡誠和　1歳9か月

夏祭りの後「おみこち、ワッショイワッショイ」とまね。夜、床について「ママ、きょうはいっぱい、たのちかったね」と。　奥山陽子　2歳

ピンクの毛布が大好きで、兄や姉がさわると怒る。ふちの〝毛100%〟と書かれているはじっこをつかみ、もう一方の手は指しゃぶりをして眠りにつく。　深澤　暖　1歳6か月

3歳5か月　「トントンして！」「もっと上、もっと下」「もっとやさしく」と注文も多い。そうかと思うと「今日はわたしひとりでねむるから、お母さんはしごとしてていいよ」。時間はかかるけれど、その日は本当にそのまま眠ってしまった。

2歳8か月　体力がついてきたせいだろうか、以前よりも夜まで元気でいて、なかなか眠らない。兄が寝てしまうと、もっと元気になり母を相手によくしゃべる。

1歳10か月　夜中あまり起きなくなった。眠るときも横抱きにしなくても、兄と母の間に、香菜子用のかわいらしい枕を置くとすんなりと眠りにつく。1か月前がうそのよう。〝大変〟のただ中にいるときは、いつまで続くのかと気に病むけれど、時がくれば子どもも成長するので少しずつ楽になってくる。

歌を歌いながら

　寝るときに読む本は童話でなく歌の本。羊の絵を見ながら『メリーさんのひつじ』を歌う。夜の家事はすべてストップしてしばらく相手をしていると、やがて大きな毛布を握りつつ寝る。

浅田優貴　2歳

　眠るのがいやなのか、決まってしくしく始まる。おばあちゃんに「かぐや姫の歌をうたって」と言い、泣き始めるので、聞くと「さみしいから」あるいは「ねむいから泣いたの」と言うときも。

小山さらさ　3歳

絵本を読む

『どろんこーん』と『かくれんぼおに』の絵本が気に入りかれこれ4週目…。『どろんこーん』が先と決まっていて、『かくれんぼおに』を読んでいるうちにまぶたを閉じて眠っているときもある。

安斉美穂子　2歳8か月

パパコール

　父と寝るようになったが、どうしても父の方が先に寝てしまい、薄暗がりの中、ひとりで遊んでいることが多い。横にいる父にていねいに布団をかけてあげている。そっと部屋から抜け出てきたり、以前より寝るのに時間がかかる。

岸本乃芙子　2歳5か月

　風のつよい日など「ひとりでねるのは、さみしいの」などと、パパコールが出ます。

大塚聡平　2歳8か月

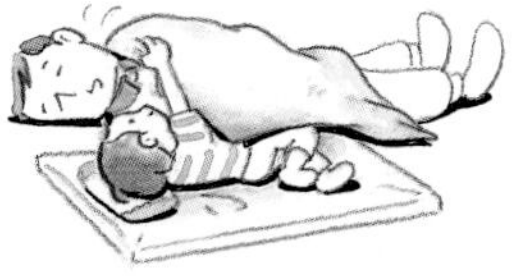

月の光の中で

　月がとても明るい夜、窓から月の光がシーツの上に差し込んでいました。「月の光が布団にあるよ」というとびっくりした顔をして、外の月とシーツの光をしばらく眺めていました。「真希ちゃん、お月さまの光の中でねてるよ」と妹を見て言うので、「みっちゃんも月の光の中で寝たら」と母が言うと、満足そうに転がり、すぐに眠りました。

武井美都子　3歳9か月

子どもの睡眠リズムは

子どもの睡眠時間は、おとなよりは長いのですが、寝つき方、熟睡度などと同様、個人差が大きいので、目覚めているときに機嫌よく、元気に遊んでいるなら、一応たりていると考えてよいでしょう。昼寝をしなかった日は、夕食を待たずに眠ってしまうなどはよくあること。夕食の用意やおふろを早めにするなどして、対応しましょう。

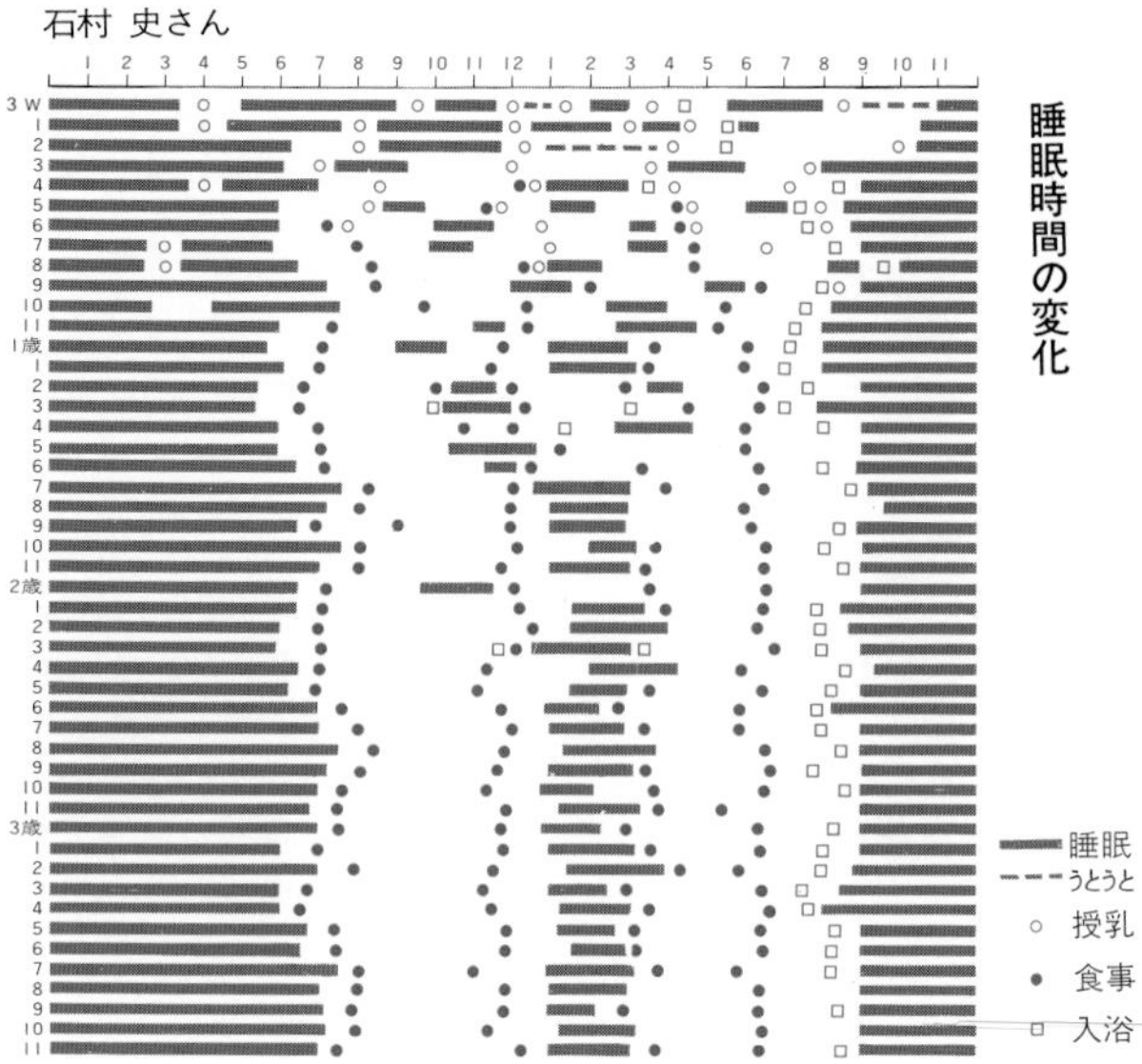
石村 史さん
睡眠時間の変化
睡眠
うとうと
授乳
食事
入浴

次のグラフは成長記録に見た生後間もなくから、1か月ごとの睡眠の記録です。眠ってばかりいる新生児期から、睡眠と目覚めのリズムができて、夜まとまって眠るようになり、昼寝をだんだんしなくなるまでの成長ぶりがよくわかります。お母さんの手記とあわせてご覧ください。

夜泣きも成長の一過程に

家族を悩ませる「夜泣き」は、暑さ寒さや昼間の来客、病後、また寝具の重さなどまで原因として考えられることはいろいろですが、それらをとりのぞいても何の効果もないこともあり、まだよくわかっていません。

夜泣きだけでなく、寝つきがわるい、指しゃぶり、爪かみなど気になるときは、〝子どもからのSOSかもしれない〟と生活を振り返ってみること。とり立てて思いあたることがなければ、この子のタイプと思って、しばらくようすを見守りましょう。

保育所のリズムを家でも大切に——石村真紀（娘 史）

生まれたときから、基本的に「よく寝て、よく食べる」子どもでした。生活のリズムが一定してからは、両親とも学校関係の仕事についていて朝が早いためもあり、一貫して早寝早起きでした。

生後9週目から、昼間は祖母の家ですごすようになり、また1歳からは保育所に入ったので、眠りだけでなく1日の生活全体のパターンが、割合早くに定着したように思います。母が休みで家にいるときも、平日のペースを崩さないように努めました。そのため休日の午後の外出は長い間できませんでしたが、史にとっては眠くなるのを承知で連れ出すよりも、ゆっくりすごして生活のパターンを変えないようにする方がよかったようです。

就寝の時刻はほぼ同じですが、起床はなぜか夏は早く、冬はおそくなる傾向にあり、「子どもはお日さまと一緒だね」と笑い合っておりました。

少々こわがりな性格なので、寝るときは必ず誰かいなければだめでした。3歳をすぎた頃から、ひとり寝をさせようと試みましたがうまくいかず、その時間は〝親子の時間〟と割り切って、絵本読みやお話をしました。昼間、一緒にすごす時間の少ない私たちにとっては、貴重なスキンシップのときですし、史は楽しく眠りにつくことができて、結局はどちらにもプラスになったと思います。

国重道大くん

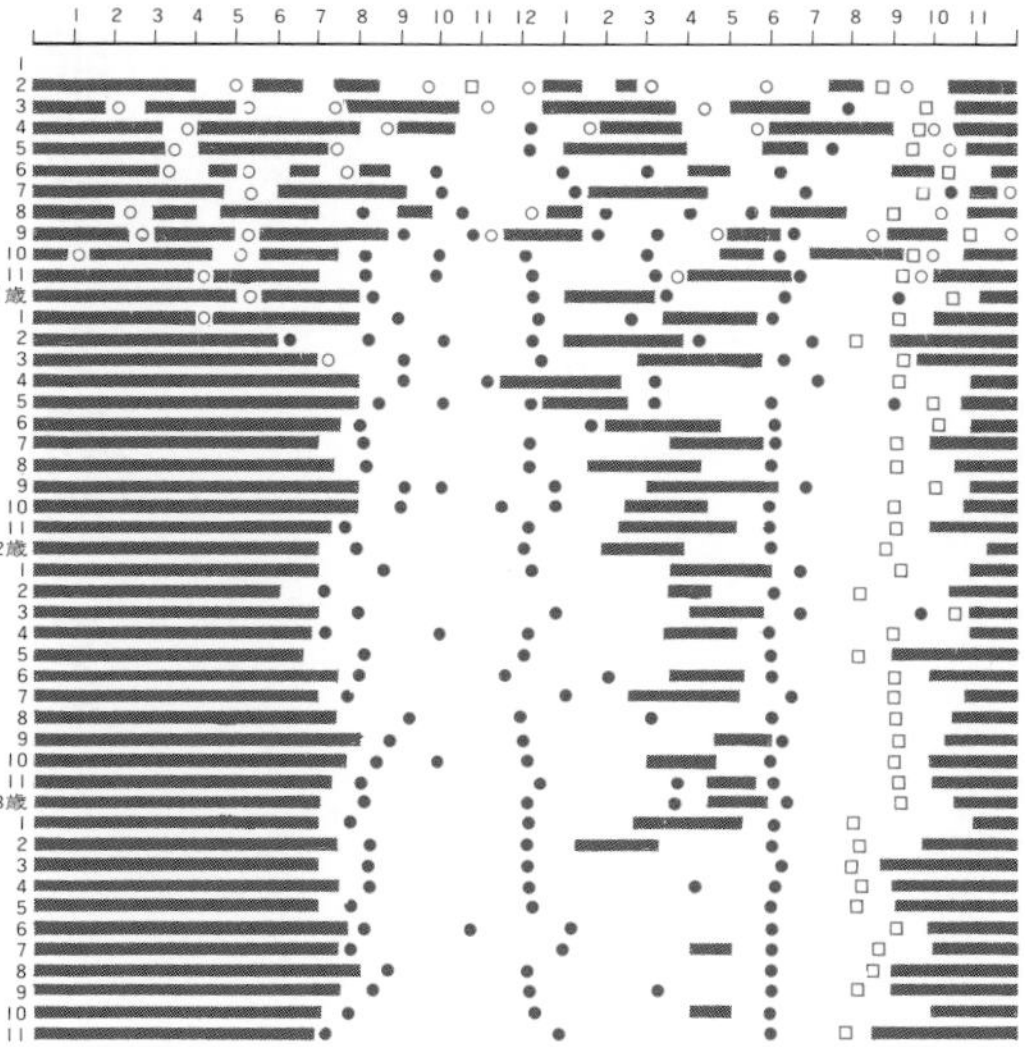

平出拓也くん

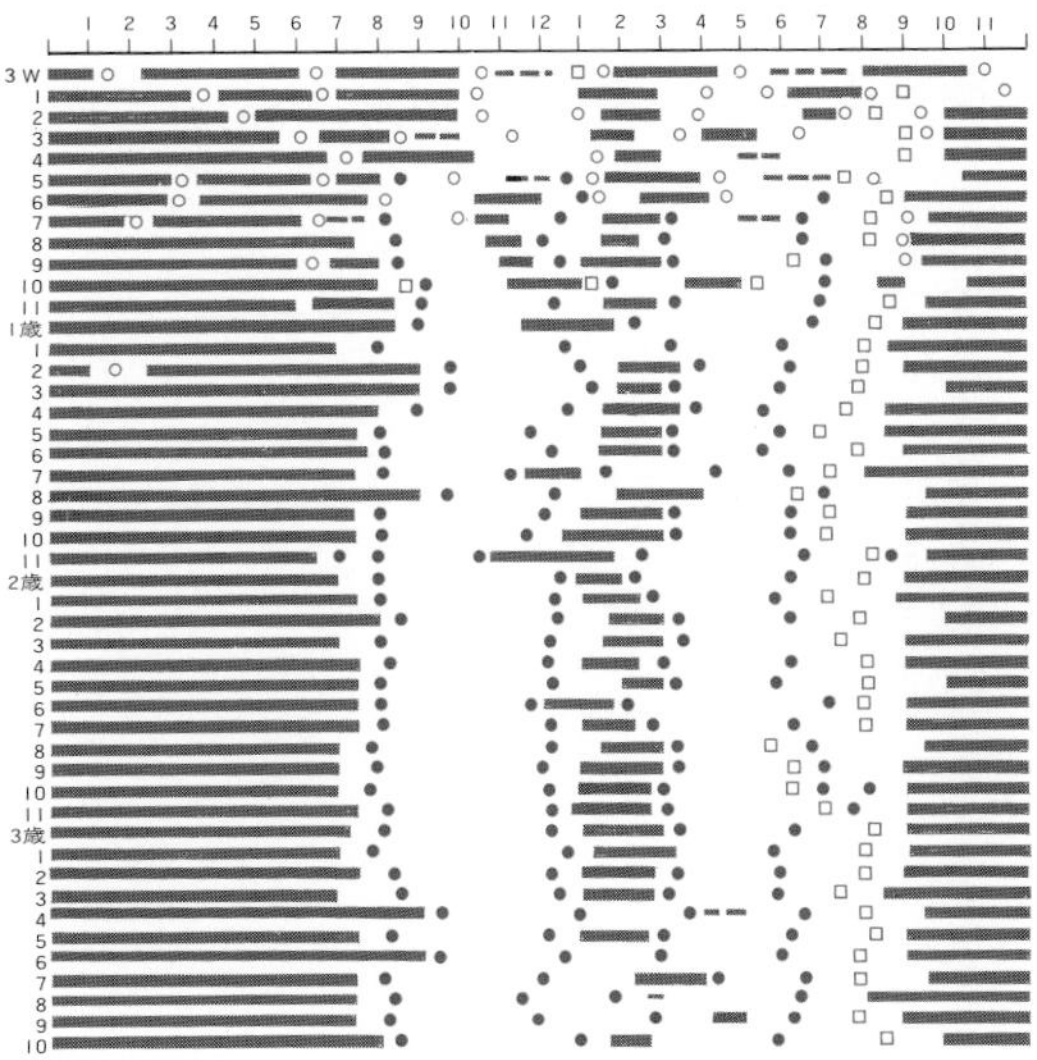

兄と弟の〝早寝早起き生活〟

平出俊子（息子　拓也）

わが家の次男は赤ちゃんの頃は手のかからない楽な子でしたが、1歳頃から夜泣きが始まりました。

1歳1か月　夜泣きのせいか生活リズムが狂い、1回だった昼寝も午前午後の2回に。昼寝を早めに切り上げても、夜寝つくまでぐずったりして手こずっています。

1歳3か月　朝はおそく、夜はおとななみに。昼寝は午後1回ですが、朝早く起こすと午前中寝てしまい、夕方ぐずりだすので、なかなかうまくいきません。

2歳1か月　早寝早起きの兄につられるようにしぜんにパッと起きパッと寝るときもあれば、ついていけずひとりで夜10時まで起きているときもあります。夕方外遊びに出ない日はとくにそのようです。

2歳年上の兄は寝つきがよく、残った弟がいつまでも母にまとわりつき、こちらも夜はイライラ状態。そんなとき『はやね はやおき 四回食』を知り、さっそく起床、就寝と4回の食事時間を決め、先回りの家事をするなど、生活のリズムをととのえようと工夫しました。春から夏はうまくいっても、冬になるとまたもとに戻ってしまったりとなかなか思うようにはいきませんでしたが、豊かな自然にかこまれ、〝神様が助けてくださる〟と割にのんびりきたように思います。今では幼稚園にも慣れ、兄と一緒に起きて寝る生活に落ちついてきました。

ママの生活、ボクの生活

国重恵子（息子　道大）

最初の子どものときは、その子のペースで暮らしていたのに、2人めは上の子の生活もあるし、育児の手抜きも覚えます。子どもが眠っているうちに、あれやこれやとすませたい家事もあります。すると夜、泣くのです。「ママ、ボクをみて。ボクに合わせて暮らして」と望んでいたのかもしれません。

8か月　眠りが浅く、昼は40分くらい、夜も2時間おきに泣く。別におっぱいがほしいわけでもなく、しばらく相手をしてやると眠るが、親の方がグロッキーで、毎日イライラしてしまう。

1歳9か月　眠りにつくと自分の布団に入れる。すると夜中にこっそり母のベッドにもぐり込んでいる。朝、踏みそうになってびっくりする。

2歳　朝起きるのがつらいらしく、少しでも早く眠らせようとするが、お昼寝をしっかりして、夜ふかしするので悪循環。

3歳8か月　夜ふかしの好きな夫婦なので、つい子どもも夜おそくまで起きている。8時におふろに入れて、9時にはベッドへ連れていくように毎日気をつけてみると、朝起きるのが30分だけ早くなった。

久しぶりに「成長記録」を読み返すと、眠っているときは天使のようなのに、夜泣きになると悪魔のようと思っていた日々も、今はただ懐かしく、楽しかったと思います。

眠っている間のこと

夢や寝言も

明け方の寝言がいつの間にかなくなっている。幼稚園にも慣れてきたということでしょうか。

井上尚太　2歳7か月

夜中に突然、眠っている父につかみかかり、はっと気づいて「怪獣じゃなかった」と言ってまた眠る。その後10日くらいは怪獣と闘う夢を見たようで、「怪獣に勝つにはどうしたらいい?」と母よりつよいと思っている父に聞いている。父が「何かあったらお父さんに言いなさい」と言うと「うん」と言って眠る。　曽田尚史　3歳8か月

夜中に起きたり泣いたり

昼間、外気にあたる時間が短いわけではないと思うのに、ひどいときは20~30分おきに起きて1時間くらい「わあーんわあーん」。おっぱいでも効き目なしで、お手上げ。父と母交替でおんぶ、だっこ。あの手この手でその場を切り抜ける。　新倉めぐみ　10か月

3か月続いた夜泣きがおさまってきた。この頃は抱かなくても背中をトントンするとまた眠る。かわりに昼寝の時間がばらばらになり、すぐに目覚めて、抱かないと眠れず、グズグズと泣き続けたり。睡眠リズム再調整中なのだろうか。

田口愛美　1歳3か月

母が今月二度の乳腺炎で病院通い。家の中がめちゃめちゃになる。愛美は不安からか、夜中に目を覚ましたり泣いたりする。しきりに「おっぱいだいじょうぶ」「もう病気よくなった」などと聞いてくる。

竹島愛美　2歳7か月

夜中に必ず目を覚まし、親を探す。まだ起きているときは部屋のすぐ外までやってくるが中には入ろうとせず、戸のすき間からのぞいている。こちらから声をかけるまでずーっと待っている。父がついていって寝かせると安心するのか、すぐに寝てしまう。

岸本乃芙子　3歳7か月

寝相もその子のタイプ

寝相がわるく、兄と組んずほぐれつしながら寝ている。母は寝る場所を探すのにひと苦労。(1歳)

寝相がわるく、とび出すので風邪をひかせてはと厚着をさせていたが「厚着だから、とび出すのよ」と言われ、試しに1枚薄くしてみる。相変わらずのときもあるが大分よくなり、心配したほど咳や鼻水も出ない。　佐光存人　1歳5か月

夢を見るとき　寝ぼけるとき

睡眠の状態には2種類があります。一つはレム睡眠と呼ばれ、体は眠っているのに脳の眠りがごく浅いという状態で、夢をみるのもこのときです。もう一つのノンレム睡眠は、体も脳もぐっすり眠っている状態です。ノンレム睡眠に続いてレム睡眠が現れるという二つの睡眠のくみ合わせが約90分ごとに現れ、これが、朝までの間に何度もくり返されているのが脳波からわかります。

生まれて間もなくの赤ちゃんは、レム睡眠の割合が50%で、おとなの20%程度よりも多く、ノンレム睡眠がまだよく発達していないので、3、4時間ごとに目を覚まします。しかし、夜中にまとめて眠る頃になると眠りは深くなり、そっと抱き起こしても目を覚まさなくなり、おとなよりもかえって深く眠るようになります。

寝ぼけて歩いたり、驚いたように大泣きするのは、ノンレム睡眠から目覚めに移るとき、寝言はノンレム睡眠の時期といわれます。

幼児期から学童期にかけては、睡眠パターンがおとなに近づき、ノンレム睡眠が多くなります。熟睡時(一夜の眠りの最初の深いノンレム睡眠期)に下垂体から成長ホルモンが大量に分泌され、まさに「寝る子は育つ」というわけです。

また、子どもは体が小さくて動きやすく活発なので、布団の中にじっとしていません。寝相がわるくて夜中に冷えきってしまうときは、パジャマの上にもう1枚ゆったりしたものを着せるなどして、安眠を助けましょう。(大熊輝雄)

おむつがとれるまで

あせらず叱らず〝時〟を待つ

おしっこの予告ができるようになっておむつがとれるのは、我慢して膀胱にためておける機能が育ち、トイレまで歩いて行けて、「おしっこ」といったことばが理解できるなど、子どもの中で、あらゆる面の準備がそろったときなのです。

125頁のグラフでは、ほとんどの子どもが2歳から3歳半までの間におむつがはずれましたが、4歳近い子もいます。3歳半になればかなりの子どもが自分でトイレに行き、水を流して出てきます。便の後始末までできるのは、もう少したってからです。

一人ひとり時期はちがいますが、発達の準備がととのった、その〝時〟をうまくとらえて助けると、短い間に身軽なパンツ姿になる例がたくさん見られます。

出た後に知らせ始めたら

排泄を自分から予告するようになる前には、〝した後で教える〟という時期があります。おむつに排泄したときにじっとしてまじめな顔つきをしたり、「チー」といったり。こんなようすが見られたら、「おしっこ出たね」と声をかけましょう。

そして、「おしっこ」「トイレ」といったことばも聞きなれて、親やきょうだいがトイレに行くのを見て〝おしっこはトイレでする〟ことや場所もわかるなどの経験を積むことも大事です。

こうしたやりとりの中で、子どもはしぜんに排泄に関心を高めます。たびたびトイレをのぞいてみたり、おまるにまたがってみたり、「おしっこ」「うんち」などのことばを言ったりするようになったら、排泄したそうなときにトイレやおまるにかけさせてみます。失敗してジャーッと床にもらしても怒らずに。おしっことうものを教えるよいチャンスです。おまるやトイレをいやがったら、まだその〝時〟はきていないと考えて、無理じいはしないこと。しばらく休んでようすをみて、また再開すればよいのです。

基本的にこの時期は、まだおむつです。

出る前に知らせるようになったら

出る前に「おしっこ」と言ったり、お母さんのそばにきて、もじもじしたりと、おしっこの予告をするようになったら、パンツやトレーニングパンツにしてみます。おしっこをおまるやトイレでするのは、自分の行為をある物に合わせてコントロールすることですから、けっこうむずかしいのです。頻繁におもらしするようなら、おむつにもどします。

排泄の自立は一度できるようになっても、また失敗が続くようなこともあります。ことに1歳台では、たとえ予告ができたとしても、たまたまタイミングが合っただけで、後もどりしてしまうことが多いものです。

早くパンツにしたら、早く「おしっこ」が教えられるようになるわけではありません。排泄の予告ができるできないを気にする期間が長いのは、お母さんの精神衛生上よくないことですし、おもらしばかりという状態が長引く結果になるでしょう。子ども自身の発達を待って、子どものようすを見て、その〝時〟を見つけることが大切です。

おむつがとれることをめぐっての、次の5人の成長記録をご覧ください。

おもらしもあったけれど…
2歳5か月でとれたN・Kさん

1歳7か月　おしりがかぶれることが多いので、ほとんどトレーニングパンツ。ぬれればすぐわかるので本人もよく教えてくれる。おまるでは1日1回から3回成功。おむつを洗うことを思うと、ずいぶん楽になったと思う。

2歳1か月　母に誘われるままトイレに行き、1回もパンツをぬらさない日もあれば、「ないない」の一点張りでびしょびしょの1日もあり、それのくり返し。

2歳5か月　やっとおむつから卒業。すぐに約束どおり大好きなキャラクターつき（母はあまり好きではないけれど）パンツを買う。それがとてもうれしかったらしく、「もうチッチもうんちも汚さないよ！」と父に報告する。

2歳8か月　トイレに行くのをぎりぎりまで我慢しているようで、今月に入っておもらしが多い。父いわく「どこまで我慢できるかの限界まで挑戦しているのじゃないのか」と客観的。

3歳　トイレの明かりをつければ、後はひとりでパンツを脱ぎ、紙で拭けるようになった。でも、ときどき「できないから、お母さんして！」。

3歳2か月　中旬あたりから急に頻尿になる（1日15回）。昼寝のときもおねしょ。以前はおしっこは1日4回ほどだったが、神経的なものか。「来年は幼稚園ね」のことばが多くつかわれるせいか。電車やバスに乗っているときもすぐおしっこに行きたくなり「したばかりだから、まだ大丈夫よ」と言い聞かせるが、落ちつかない。

3歳3か月　先月頻尿で心配していたが、医者に行く前になおった。いったい何だったのでしょう。ただ、ひとりでトイレに行けません。

3歳4か月　ひとりで完璧にトイレに行けるようになった。ただ、脱いだ裏返しのパンツをもとにもどすのに苦労している。夜は、部屋の近くに置いたおまるを使う。

保育園では優等生でも
2歳8か月でとれたS・Nくん

1歳8か月　トイレで排泄後、しばらくは大丈夫だろうとトレーニングパンツをはかせておいたら、おもらし。「ママー、シッコ」と教えにきた。ことばで排泄を伝えたのははじめて。

1歳9か月　おむつの自分の便に「オー」と感嘆の声。出ていないときは「ウンチは？」の声かけに「ナイ」と答える。これも正確。

2歳1か月　間に合わないこともあるが、尿意、便意を伝えられるようになる。ただし遊びに熱中しているときはダメ。砂場などでは失敗が多い。

2歳2か月　順調にいっていたおむつはずしだが、このところ事後報告ばかり。排便は「ウンチデユ」と教えられるようになったが。また、やりたくないことから逃れる

パンツになった後も

おもらし

パンツになると、つい「おしっこは？」と声をかけたくなりますが、それがすぎると遊びを中断させたり集中を妨げることになります。また膀胱の発育を妨げ、神経性の頻尿をおこしたり、おとなの気を引くために「おしっこ」と言ったりもします。たまにおもらしがあっても、大目に見ましょう。

うんちのトラブル

うんちはおしっこに比べるといきむのでわかりやすく、おしっこより先にトイレでできるようになる子もいる反面、うんちだけはパンツにする、陰に隠れてするなどの、こだわりをもつ子もいます。

これは、うんちを予告したときに「トイレまで待ってて！」とつよく言われてびっくりしたり、失敗を叱られたりしたためとも考えられます。また便秘がちで痛みのため排便を避けようとしたり、トイレやおまるの強制がいやだったりすることもあります。まず叱らないようにし、「出てすっきりしたね、トイレでしようね」と、だんだん方向づけをしていくとよいでしょう。

おねしょ

夜のおむつまでとれるのは、日中パンツ姿になってから、半年か一年くら

ために、「ウンチデユ」を頻発。トイレでさせたい親の気持ちを逆手にとって利用している。

2歳3か月　母と目が合うと「チッコ出ない！」と先に宣言。保育園でも「出ない」と連発、なかなかトイレに行かないそう！

2歳4か月　相変わらず家庭では事後報告ばかり。保育園では優等生らしく「もうほぼ完全にはずれたわね」と言われ、母はだまされた気分。気分をかえて立ってさせると、おもしろがってトイレには行くが、緊張して出なかったり、オチンチンを振り回してこぼしたり。

2歳8か月　ときどき、排泄に失敗しているものの、立っておしっこができるようになり、得意げ。いったん便座に腰かけても「タッテ」と自分で台を押してきたりする。

2歳11か月　何でも「自分で」。トイレもひとりでと言い張り、ついてくるなと言う。ドアを開けられないので、「アケテアケテ」の大騒ぎ。それでも閉めたいよう。

3歳　夜もおむつがとれた。

3歳5か月　父や兄が用をたしていると「一緒にしよう」と、うれしそうに並んで用をたしている。母には思いつかない男同士の発想。

トイレ嫌いを乗り越えて
2歳10か月でとれたI・Sくん

1歳5か月　うんちが出ると「ウーンウーン」と言って教えてくれるようになった。

1歳7か月　トイレに行って一生懸命「チーチー」と言う。いろいろな体形でさせようとしても出ないのだが、本人がいつまでもチーチーと言ってがんばるので、タイミングよく出てくれればよいのにと、とても残念に思う。

1歳9か月　たまにおしっこの出たことがわかることがあり、出てからチーチーと教えてくれる。

2歳4か月　いくら促しても、絶対トイレで用をたそうとしない。兄たちも「トイレでできたら、お兄ちゃんになれるよ」と、助言してくれるのだが、「出ない」の一点張り。

おしっこが出ても教えてくれない。「どこでしたの？」と聞くと「エーと、エーと…ここ」と言うのだが、全然ちがう場所。

また、うんちが出ても「ちがう、うんちじゃない」と言ってかくれてしまう。「でも、くさいでしょ」と言うと「いいの！」。そして後から「ママがふくと、痛いんだもん」。

2歳5か月　月末になり、「おしっこ出そう」と言って、トイレでおしっこに成功。まだまだ確率は低いが大きな進歩。

2歳10か月　うんちもおしっこも本当によく教えるようになり、下痢のときも失敗せず、こちらは大助かり。

夜はまだおむつ。

い後と言われますが、個人差の大きいものです。

おねしょは夜間につくられる尿量と膀胱の大きさが関係します。水分はできるだけ日中に与えて夕方からは少量にし、おむつをあてて〝起こさない〟方が、夜間の尿量を減らす抗利尿ホルモンの分泌を乱しません。おむつがいやだと言い張る子は、少し高価ですがおねしょパジャマもあります。幼児期のおねしょは、ほとんど心配ありませんが、5歳すぎても寝入りばなにぐっしょりぬれる場合は、専門医に相談してください。

トイレに行きたがらないときは

トイレまでよーいドン
子どもは玄関側、私は台所側からよーいドン、トイレの前で「こんにちは！」お父さんは苦笑いするけれど、なかなか行きたがらなかったのが、楽しくさっと行くようになりました。
久保田愛子
（娘6歳、3歳、11か月）

おなかで音がする？
「おしっこがおなかの中でチャポンチャポンいってるよ」と言うと、急いでトイレに行く。帰ってきて「もうチャポンチャポンいわないよ、ほらー」と自分で体をゆすってみせる。
岡本美奈子
（娘3歳、1歳）

ゆったり自然に

3歳でとれたF・Cくん

1歳2か月　おしっこは1日8回くらい。布おむつだと1回のおしっこの量が増えて、回数が減っていく排尿の成長過程もよくわかる。

1歳4か月　排泄の後、「うーうー」とおむつをさわって教えてくれるようになりました。「おしっこした?」と聞くと「ないない」と答えるなどの会話も成立。トイレに行きたがり、便器をのぞきこんでは「うーうー」。

1歳10か月　月末に急におまるでおしっこ、うんちができるようになりました。おなかのあたりを緊張させて排泄するのがよほど気持ちよいらしく、終わると家の中を走り回ります。

2歳　「ちっこ出る」と自分から教えることもあるが、たいていは出た後で知らせる。トイレに行くのが大好きで、おしっこがなかなか出ないと「もういいかい、まーだだよ」などと言って遊び出してしまう。

2歳7か月　おしっこもうんちもおむつの中。もうじき〝お兄ちゃん〟になるので、甘えたいのかな。

　上の子のときは寒くなりかけた頃、ある日突然2歳7か月でとれた。夏にとれないと来年までとれないと聞いていた夫は、子どものおむつがしぜんにとれたことにすっかり感動し、「教育観が変わった」と言うほどだった。おそい早いで親があせったりカリカリする必要はないのでは?

3歳　ついについに排泄が自立!うんちだけはおとなにならないとお便所でできないと言って、パンツにし続けていたが、祖父母の家で自分の家とはちがう便器(便座があたたかい)に興味をもったために、これはチャンスと思い、「ウンチ」と言ったときに連れて行くとみごとに成功!待ちに待ったうれしい成長のステップでした。

　この頃、夜のおむつも自然にとれました。

「おむつバイバイする」とがんばって…

3歳2か月でとれたY・Yさん

1歳8か月　だれかがトイレへ行こうとすると「チーチー」と言って自分も行く。すわらせるとちゃんとおしっこをする。手をたたいてほめると、自分もパチパチして得意顔。出た後、中をのぞいて「バイバイ」と言う。

2歳4か月　お昼寝後、トレーニングパンツにしている。トイレにすわっておしっこやうんちがときどき出るので、大いにほめている。パンツへの失敗は多いが、パンツの方が好き。

2歳10か月　「よっちゃん、おむつバイバイする」とがんばっている。ときどき成功。ときどき失敗。

3歳　外出の前だけは母が言うとトイレに行くが、それ以外に「おしっこは?」と聞いても「ない」と言って行こうとしない。うんちは日に3〜4回し、かぶれやすい

おまるとトレーニングパンツについて

　おまるは腰かけやすい、足がついてきばりやすいなどのよさがあり、アンケートを見ると「トイレに行きたがらないときに気分転換になった」「いつでもさっと使えて便利」という人がある一方で「捨てたり洗ったりが大変」という人もいました。

　トレーニングパンツは、股のところが厚くなっていて少量の尿なら吸収し、ちょっぴりもらす子どもの場合に、便利です。おもらしの量が多ければ、もれることには変わりありません。アンケートでは「乾きがわるく、夏はむれておしりが赤くなり、値段もはり、普通のパンツの方がよかった」という一方で、「厚手の綿100%のものを使用しているが一度もむれない」など賛否両論。「トレーニングパンツに、布のおむつを1枚あててはかせている」という工夫もありました。

　紙製のものは、パンツ型の紙おむつで、もれません。「おむつをはずして4か月くらいは、出かけるときに大変助かった」という声もあります。

　おまるもトレーニングパンツも、使い方はさまざまですが、住宅事情や経済面、後始末の手間だけでなく、子どもの状態も考え合わせて選びましょう。

のでなるべく早くとりたいが…。もう少しいいかな？

3歳2か月 パンツおむつをはずして1週間、昼間はほとんど失敗しなくなった。おしっこの間隔があき、1回にたくさん出るようになった。「おしっこ出る」と言うので連れて行くと、おまる、またはトイレでする。母は心配していたが案外簡単だった。うんちのときは「おむつにして」と言うので、おむつをしてひとりで部屋の中でしている。

3歳4か月 昼間のおもらしはほとんどなくなった。夜とうんちをするときは、おむつをあてている。

4歳 「4歳になったらおまるでウンチする」と言っていたが、おまるでさせようとすると、我慢してしまう。今度は「5歳になったら、おまるでウンチする」と言う。いつかできるようになるだろう。

その後、うんちは4歳3か月、夜のおむつは5歳半でとれました。

使いやすいトイレに

紙に届かないので、きれいな布をはさんだいちごパックに紙をたたんで入れてとりやすい場所に。
林　真理子(娘3歳　息子1歳)

便器に届かない頃は、牛乳パックの踏み台(106頁)と小さい便座をセット。
佐々木左江子(娘9歳、3歳)

■おむつがとれたのはいつ？

	1歳11	2歳	1	2	3	4	5	6	7	8	9	10	11	3歳	1	2	3	4	5	6	7	8	9	10	合計
1月生まれ					•		•	•••	••	••														•	10人
2月生まれ								•••	•			•	•	•			•								8人
3月生まれ						•	••••	•	•																7人
4月生まれ				•	•		•	•	••				••				•								9人
5月生まれ				••	•								•	•	•	•									7人
6月生まれ			•	•	•		•			•		•	•	••											9人
7月生まれ		••		•								•	•••	•	•	•	•								11人
8月生まれ					••				•	•			••		••										8人
9月生まれ												•	••	•	••	•									7人
10月生まれ									•	•		••	•	••											7人
11月生まれ								••	•		••	••												•	8人
12月生まれ	•								•		••••	••	•												9人
合計	1	2	1	5	6	1	7	10	10	5	6	10	14	8	6	3	3							2	100人

年齢別にみると

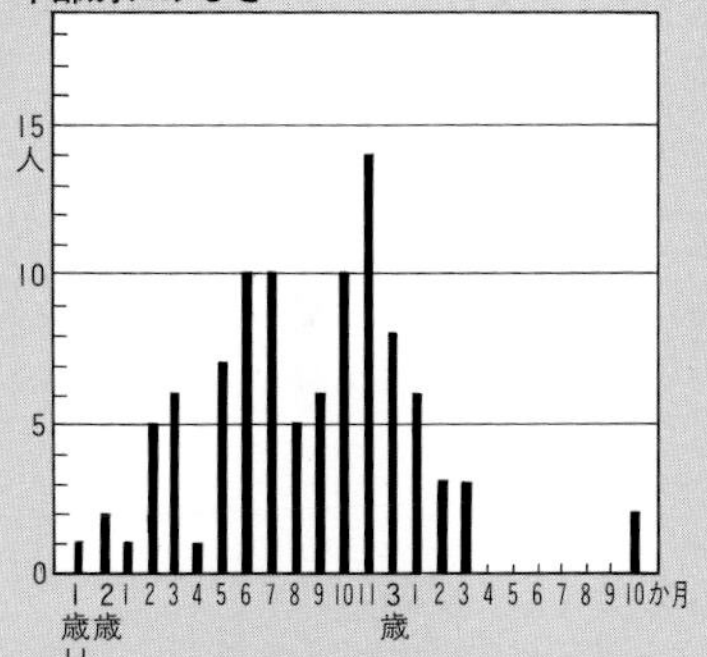

季節別にみると

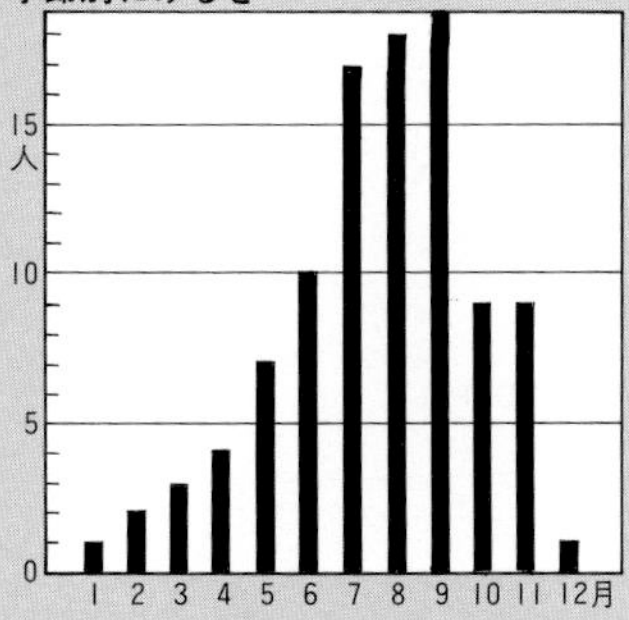

100人の子どもの日中のおむつがとれた〝時〟は？

乳幼児グループの100人の子どもの成長記録では、1歳11か月から3歳3か月の間に98人、3歳10か月に2人がおむつを卒業しました。うんちだけはまだという子もいます。

20年前の同じ記録では、1歳7か月から2歳10か月の間に全員がとれていたので、今回は遅めになっています。

これは〝おむつはとるものではなくて、必ずとれる時期がくるもの〟ということが理解されて、無理せずに待つようになったことや、紙おむつの普及で労力的にも待つことがしやすくなったことなどが、関係しているのかもしれません。

夏はパンツにしやすい季節

夏になったからと急におむつをはずしても、子どもの機能が発達していなければ、おむつと同じ数のパンツを洗濯することになるだけです。

しかし、もしその〝時〟がきていれば、身軽な夏の方が、母と子のタイミングが合わせやすいようです。

おむつがとれた時季は、7月から9月が54人と半数以上、冬は4人と少なくなっています。

冬は寒いためにおしっこの回数も多く、便器も冷たく、衣服の脱ぎ着もめんどうでおもらしが多くなるなど、パンツに切り替えにくい季節なのでしょう。

はればれと暮らすために！

〝一歩引く〟のも大事なこと

しようと決めていたことを人にされると「ちよがしたかったのに～」と泣いて怒る。叱っても逆効果。「ごめんね」と謝ると拍子抜けするのか、おとなしくなる。　石村千代　２歳７か月

起きてトイレに行って、服を着替えて…と順序よくいかず、つい朝から「○○しなさい」と言い続けていたが、時間がかかるのも、いやがるのも子どものことと目をつむることにした。角を出すことが、一つ減った分、楽になった。　岸本乃芙子　３歳５か月

ちょっと叱りすぎたかと思い、まぐま（弟）の声音で「それでも姉さんのこと大好き」と言うと「ありがと」。「指しゃぶりしても好き？　お手々で食べても好き？」など聞いてくる。自分でも気にしているのだな。　小山さらさ　３歳６か月

声かけにひと工夫

流しで手を洗うことや食器を洗うことを中断させると怒る。ある程度たってから「はいごくろうさま、手を拭こうね」と声をかけると納得してやめる。　平井佐和子　２歳１か月

言いたいことを極端な表情で表す。「いい！」は、くしゃくしゃの笑顔、いやなときは暗い顔でおもしろい。母がカッとしても、一拍おいて落ちついてから「○○してみたら」と、静かに話しかけるように心がけた。　星加純平　３歳

パジャマのたたみ方を教える。毎朝忙しい中でも「あやちゃん、やってみせて」と誘うと、さっそくたたんでみせる。親の切り出し方で、子どもは喜んで生活習慣を身につける。怒ってさせるのは効果ゼロのよう。　岩井彩香　３歳１か月

気持ちを支える

何かを我慢するときに、涙を流しつつ「おかーたんのおべべでふいちゃうもんねー」と言い、母の服で涙を拭く。気を静めるための代償行為なんだろうと、母もとがめない。　渡辺　綾　２歳11か月

やりたいことが多いだけに、とげられないことも多く、くやしくて毎日何度も泣いている。しばらく母のエプロンに顔をうずめれば気がすみ「こうちゃんがやりたかったんだね」と言ってもらえると、自分から泣きやもうとする。　斉藤晃士　３歳２か月

できることをやりたがらないとき、母が「力をあげるよ」と両手をしっかり握り、少しの間じっとしていると「力をもらったからがんばるぞ」と言ったりします。手を握っている間は母の気持ちの落ちつくときでもあります。　吉玉泰和　４歳

ありのままを受けとめて

ときどき、終わってしまったことを後悔してぐずる。お父ちゃんと歯をみがきたかったとか、ぬれているおむつがよかったとか。母がいら立つと、父親の方がやさしくゆったりと接してくれるのが救い。今の〝扱いにくさ〟とできる限り、じっくりつき合っていこう。　古川知志雄　２歳６か月

アメリカのお母さん方は目を輝かせ「私の子は○○ができてすばらしい」と自慢する。娘の長所を話せる母親になりたい。　山本圭恵　２歳８か月　在米

叱る前に〝私が理絵だったら〟と考えると、わがままと見えることでもそれなりの理由があることがわかります。疲れていると感情的になってしまうので、「明日できることは明日に…」とおまじないをかけて早く寝ます。　馬場理絵　３歳

監修 津守　真（保育学）
津守房江（保育学）

ご指導、ご協力いただいた方々
尾関夢子（高千穂商科大学教授　発達心理学）
白石正久（大阪電気通信大学人間科学研究センター助教授）
野間歌子（ライオン歯科衛生研究所　小児歯科医）
大熊輝雄（国立精神神経センター名誉総長）

カラー写真の子どもたち
平松春乃　山岡元気　松本もも子　木村瞭
高橋めぐみ　鈴木めぐみ　間浩行　金岡竜丸
浅川洸　小幡侑生　岡田結　内田晃弘
内田翔大　内田真歩

表紙イラスト—北條千春
イラスト——ゆめのまこ
藤立育弘
写真————明石孝人
（本社写真部）
装幀・デザイン—川畑博哉

子どもの生活 遊びのせかい
1996年3月25日第1刷発行
2011年12月20日第22刷発行

編　者　婦人之友社編集部
発行所　婦人之友社
〒171-8510　東京都豊島区西池袋2-20-16
電　話　(03) 3971-0101(代)
振　替　00130-5-11600
印　刷　東京印書館
製　本　大口製本

●乱丁・落丁はおとりかえいたします。
 ISBN978-4-8292-0143-5